9 —

Mielenz

D1177401

DER KANON

EIN SINGBUCH FÜR ALLE

Herausgegeben von

Fritz Jöde

GESAMTBAND
VON DER GOTIK BIS ZUR GEGENWART

MÖSELER VERLAG WOLFENBÜTTEL

Ⓒ by Karl Heinrich Möseler Verlag, Wolfenbüttel, 1959
Druck: Möseler, Wolfenbüttel
Printed in Germany

Einleitung

von Herman Reichenbach

Wer gewohnt ist, im Kanon ein Sondergebiet artistischer Konstruktionsfreudigkeit außerhalb des eigentlich künstlerischen Bereiches der Musik zu sehen, wird den Zweck dieser Kanon-Sammlung notwendig mißverstehen. Der Herausgeber will hier durchaus lebendige Musik bieten. Ist das im Rahmen des Kanons überhaupt möglich? Ist dieser Rahmen nicht eigentlich ein hindernder Zwang, oder ist gerade er künstlerisches Erlebnis? Bleibt er nicht doch ein äußerliches Gewand, eine gefällige Zugabe als Beweis unserer Geschicklichkeit; steht er also mit Recht jenseits der hohen Werke der Kunst allein in Kompositionsfibeln? Wir sind allerdings gewohnt, den Kanon so zu sehen und müssen von Grund auf umdenken, um den Gehalt dieser Sammlung zu erfassen, denn der Kanon stand nicht immer dort. Im 19. Jahrh. allerdings tritt der Kanon in den Kompositionen großen und kleinen Stils nie auf. Er ist nur bekannt in eigens für didaktische Zwecke gearbeiteten Kompositionsmustern. Im 18. Jahrh. ist der Kanon ein (elegantes) Gesellschaftsspiel, an dem sich selbst Meister wie Haydn und Mozart beteiligen. Im 17. Jahrh. ist der Kanon in einzelnen Sätzen von Kunstwerken anzutreffen (ebenso bei Bach). Im 16. und 15. Jahrh. sind die größten religiösen Kunstwerke in der Form des Kanons gehalten. Im 14. und 13. Jahrh. findet sich der Kanon nur in einigen Gattungen der weltlichen Musik. Im 12. und 11. Jahrh. taucht er aus der vulgären Musik auf und wird erstmalig niedergeschrieben. Das ist also – historisch gesehen – eine stetige Kurve, deren Höhepunkt um 1500 in der niederländischen Polyphonie liegt. Man kann den Kanon also durchaus anders sehen, als wir es gewohnt sind. Machen wir den Versuch, gegenüber dieser Sammlung uns umzustellen. Den Kanon positiv werten, d. h. doch mehr, als ein Kunstwerk zu erkennen, dem es gelungen ist, trotz der Fesseln, die das Gesetz des Kanons bietet, seinen Gehalt zum Ausdruck zu bringen. Das heißt doch vielmehr: ein Kunstwerk zu erkennen, dessen Grundidee eben dieses Gesetz ist, ein Gesetz, das es nicht als Fessel, sondern als innere Notwendigkeit erfüllt. Damit befindet man sich mitten in der Rivalität von Inhalt und Form.

Entweder ist die Form des Kanons eine Fessel und der Inhalt seine Gemütsbewegung, oder aber der Sinn dieser Form und der Gehalt des Ausdrucks sind ein und dasselbe. Wenn es uns gelingt, im Kanon hier die Einheit von Form und Inhalt zu erkennen, so haben wir über das eigentliche Thema hinaus in diesem Beispiel einen Grundstein für unser musikalisches Formerlebnis überhaupt gelegt. Das Gelingen hängt aber nur zum geringen Teil von meinen Worten, zum größeren von der Beschäftigung mit den hier folgenden gesammelten Kunstwerken ab.

Unter Kanon verstehen wir einen mehrstimmigen Musiksatz, bei dem jede Stimme dieselbe Melodie singt oder spielt, aber nicht gleichzeitig mit den anderen Stimmen, sondern mit einer bestimmten Verspätung. Der Einsatz der Stimmen erfolgt also nacheinander in einem vorgesehenen Zeitabstand, der bis zum Schluß beibehalten wird. Im einfachsten Falle singt oder spielt jede Stimme die Melodie in derselben Tonhöhe. Falls eine Stimme die Melodie um eine Oktave höher oder tiefer wiedergibt (Männer= gegen Frauenstimmen), so muß der Satz im doppelten Kontrapunkt der Oktave gehalten sein. Es kann der Kanon aber auch so eingerichtet sein, daß jede Stimme die Melodie in einer anderen Tonlage (meist Quint= oder Quartabstand) zu bringen hat. Hierbei entstehen unter Umständen gewisse Wandlungen der Melodie in bezug auf die Lage der Halbtöne. Auf jeden Fall bleibt die Vorstellung erhalten, daß jede Stimme dieselbe Melodie gibt. Jede Stimme scheint die vorangehende nachzuahmen (Imitation) und vor der folgenden zu fliehen (Fuga, Caccia, Catch). Und das scheint nicht nur so, sondern jeder Singende und Spielende muß die andern Stimmen beobachten, muß die vorangehende bewußt nachahmen und sich von der nachfolgenden verfolgt fühlen. Dieses ist das Gesetz des Kanons, wie wir es heute kennen. Es gibt noch kompliziertere Formen des Kanons, bei denen z. B. eine Stimme die Melodie der anderen mit einer andern Geschwindigkeit vorträgt, so daß sie jeden einzelnen Ton zwei= oder dreimal so lang aushält als die andere Stimme (Canon per augmentationem, bzw. per diminutionem). Dadurch braucht sie auch für die ganze Melodie zwei= oder dreimal so lange Zeit, und die andere Stimme bringt währenddessen die Melodie etwa zwei= oder dreimal hintereinander. Oder aber eine Stimme ahmt die Melodie der andern unter Umkehrung jedes Intervalles nach (per motum contrarium), so daß jede Liniensteigung zu einer Senkung, jeder Gipfel zu einem Tiefpunkt wird. In diesen Fällen ist das Erkennen der Nachahmung sehr erschwert. Nicht beachten will ich den Krebskanon (Canon cancricans), in welchem eine Stimme die Kontur der ande=

ren rückwärts spielt, da eine solche zeitliche Umkehrung unmöglich vorzustellen und zu verfolgen ist. Es ist das eine Formung, die nur auf dem Papier steht, klanglich aber keine Wirklichkeit besitzt.

Das Prinzip des Kanons ist also die Nachahmung in äußerster Konsequenz. Wenn wir den Sinn der Imitation in der Musik erfassen wollen, so müssen wir den Sinn der Imitation im Leben überhaupt suchen. Und da finden wir, daß in der ganzen Natur Imitation nicht vorkommt. Wohl ähnelt sich vieles, aber g l e i c h sind keine zwei Dinge. Keine zwei Pferde, keine zwei Bäume, keine zwei Steine sind sich vollkommen gleich. Und wo doch ein Gegenstand doppelt auftritt, empfinden wir darin unmittelbar eine unnatürliche, übernatürliche Bedeutung. Es scheint, daß die Natur plötzlich aus ihrem grenzenlos überschäumenden Formenreichtum gerückt, von einem Agens bestimmt ist: ein gottloser, unschöpferischer Dämon formte ein Spiegelbild. Der Doppelgänger ist von jeher ein drohender Bann. Die M a g i e d e r I m i t a t i o n hat uns übermannt. Schon die primitivsten Völker bilden, um sich vor drohenden Geistern zu schützen, diese in erschreckenden Fratzen ab; dadurch ist der Geist gebannt, denn vor seinem Ebenbild muß er fliehen. Wir können das heute noch nachempfinden: Der beklemmende Eindruck z. B., den ein Etagenhaus macht, liegt nicht daran, daß es so groß oder so häßlich ist. Paläste sind oft viel größer, ohne diesen Eindruck hervorzurufen, und häßlich brauchen sie nicht zu sein. Dieser Eindruck kommt daher, daß all die verschiedenen fremden Menschen in eine genau gleiche Wohnung gesperrt sind, alle an derselben Stelle ihr Eßzimmer haben, alle an derselben Stelle ihre Ehebetten, alle an derselben Stelle ihren Balkon, das ist es, was den Eindruck des Unmenschlichen macht. Denn es kann und soll in der Natur nichts sich wiederholen. Wenn der Vogel singt, so singt er immer etwas anderes. Und wo er dasselbe singt – der Kuckuck, der Kauz –, so erhält es sofort eine übernatürliche Bedeutung. Aber sobald die Menschen das Klangliche aufgreifen: die Gebetsmühlen, die Klappern, die Trommeln der Naturvölker geben die Wiederholung, die magische Bedeutung. Da die Natur keine Identität hervorbringt, so muß es ein übernatürlicher Geist sein, ein Dämon, dessen Griff wir bei dem wiederholenden Klang im Nacken spüren. Vom Kauz und nicht von der Nachtigall haben die Menschen die Musik gelernt.

Es gibt auch kein Tier, das lacht. Auch das Lachen des Menschen ist ursprünglich satanisch. Deshalb liegt die Komik immer auf dem Wege zur Magie. Die komischen Wirkungen leichterer Fälle von Imitation, Zwillinge, Spiegellabyrinth u. dgl., sind ebenso bekannt wie die komischen Wirkungen leichter Kanons. Aber wo es schwer und ernst ist, da ist es von jener starken heidnischen Zauberkraft, die der christlichen Kirche im Grunde fremd ist. So wird die Imitation in der weltlichen Musik groß, dringt dann aber ebenso in den kirchlichen Gesang ein wie die Götzenbilder und Beschwörungsmasken in die gotischen Dome. Hierin liegt der Grund, weshalb so wenig schriftliche Quellen aus der Frühzeit vorliegen. Auch der Mönch, der 1240 den Sommerkanon niederschrieb, wird dieser seiner gottlosen Liebhaberei heimlich gefrönt haben, um kirchlichen Nachforschungen zu entgehen. Die wenigen Urkunden aber, die wir trotzdem besitzen, deuten auf eine lange Übung und auf eine reiche Praxis.

Nicht im Kanon allein ist das Prinzip der magischen Imitation wirksam. Ich erwähnte schon seine Bedeutung in der Musik der Naturvölker. Man vergegenwärtige sich den Beschwörungsgesang eines malaiischen Haifischvertreibers oder eines indianischen Medizinmannes. Es ist heute allgemein üblich, über deren Singerei und Spielerei als ein naives, hoffnungsloses Bemühen zu lächeln. Ich glaube, wer das einmal ernst angehört hat, der wird sich der Beschwörung nicht haben entziehen können, der wird den Zauber sein Leben lang nicht wieder los. Man vergegenwärtige sich doch diese ununterbrochene eintönige Wiederholung einer und derselben kurzen Melodiefloskel, begleitet von einer kurzen rhythmischen Figur auf der Trommel: ununterbrochen fort und fort bohrt sich das in unser Hirn, hoffnungslos bis zur Verzweiflung, von allen guten Geistern des Übermuts und der Phantasie verlassen, immer wieder und immer wieder, bis es unser ganzes Fühlen und Denken, unsern Puls und unsern Atem gebannt hat in diesen einen unerbittlichen Takt. Vielleicht ist es jetzt verständlich, warum ich sagte, daß das im Widerspruch steht zu dem freien Überfluß des Schöpfers der Natur. Viele Formen der Imitation in der Musik habe ich gefunden, in den verschiedensten Stilen und in den verschiedensten Gestaltungen, aber keine, die diesen Formwillen der Imitation so ursprünglich und so stark ausdrückt wie diese sog. primitive Musik der Naturvölker.

Mit der Mehrstimmigkeit zerfallen die Imitationsformen der Musik in zwei Gruppen: Einmal in solche, die die Wiederholungen in einer Melodielinie hintereinander bringen (Basso ostinato, Variation, Refrain [Rondo], Leitmotiv [Sequenz]), und anderseits in solche, die die Wiederholung von andern Stimmen (Linien, Instrumenten) aufnehmen lassen (Kanon, Fuge, Instrumentalkonzert). Der Kanon ist eine der konsequentesten Verwirklichungen der magischen Imitationsidee unter diesen Formen. Und deshalb liegt seine Blütezeit in der Epoche des ausgehenden Mittelalters, einer Zeit, die auch in Architektur, Malerei und Dichtkunst solche rätselvollen Kräfte enthält (eine

Parallele, auf die schon 1868 Ambros im dritten Band seiner Musikgeschichte S. 74 hinweist). Ich muß deshalb Prof. Curt Sachs wider-
sprechen, wenn er (im Jahrb. der Musikbibliothek Peters 1919, S. 7)
sagt, der Kanon läge im Sinne der Renaissance. Es ist ein gut Teil
Scholastik im Kanon der Niederländer! Deshalb ist auch schon die
Schreibweise durchaus symbolhaft: die eine kurze Melodie mit
einer rätselhaften Inschrift, die die Auflösung der einen Melodie in
die verschiedenen Stimmen mittels einer Parallele aus der Erden-
oder Sternenwelt beschreibt. Das sind gewiß keine Scherze, sondern
tiefes Symbol für das, um was es sich handelt: um das kleine Fleck-
chen von ein paar Notenkringeln, das einen dauernd verfolgt, während
der Rätselspruch die Zauberformel der unerbittlichen Verknüpfung
ist. Es ist deshalb auch für uns heute eine unbedingte Forderung,
einen Kanon einstimmig zu notieren, denn eine andere Schreibweise
würde nicht der klanglichen Vorstellung entsprechen. Gewiß ist jeder
Kanon ein mehrstimmiger Satz, aber er wird als solcher statisch kaum
bewußt. Schließlich kann man auch jeden vierstimmigen Satz zum
Zirkelkanon machen (und das wird sogar in vielen Lehrbüchern an-
empfohlen), indem man die vier Stimmen von jeder Stimme nacheinander übernehmen läßt; aber das ist innerlich durchaus kein
Kanon. Der Zirkelkanon (bei dem jede Stimme am Schluß wieder
mit dem Anfang beginnt, der also endlos ist) ist eigentlich der voll-
kommenste Kanon, weil die Imitation immer wieder aufgenommen
wird. Auch das wurde in der Schreibweise ausgedrückt, indem das
Kanonthema in Kreisform aufgeschrieben wurde, so daß das Ende
in den Anfang mündet, als Symbol der Endlosigkeit, des ewigen
Weges, den alle hartnäckig hintereinander herlaufen und doch nicht
vom Fleck kommen. Auch im Namen kam das zum Ausdruck;
man nannte einen Kanon (dieser Name ist übrigens noch verhält-
nismäßig neu) früher oft Rota, Rotunda, Radel. Hugo Riemann teilt
eine solche Rota von Baude Cordier (um 1400) mit, die in Kreisform
notiert ist (Handbuch der Musikgeschichte 1919, I S. 351), nennt
die Schreibweise aber leider eine Spielerei. Dazu mußte er gelangen,
weil er das höchste Ziel des Kanons darin sieht, den Zwang vergessen zu lassen (Handb. d. Musikgesch. II, S. 248), während gerade
das Erlebnis des Zwanges der Ausdruck jener Form ist. So kommt
er (a. a. O.) auch dazu, einen großen Zeit- und Intonationsabstand
der Stimmen zu empfehlen, während gerade geringer Zeit- und
Intervallabstand die Flucht kritisch macht. In diesem Sinne ist vielleicht schon der Sommerkanon den Florentiner Caccias überlegen.

Wie schon gesagt wurde, hat der Kanon in der Musik nie wieder
einen solchen Höhepunkt erreicht, wie er zur Zeit der Niederländer

innehatte. Die Idee der magischen Imitation war damit aber nicht aus der Musik verschwunden, sondern sie verwirklichte sich in anderen Formen. Dazwischen aber setzte sich immer wieder ein anderes Formprinzip durch, dessen Grundwille gegensätzlich zu jenem war. Dieser Grundwille war, frei zu schöpfen aus dem inneren Überfluß heraus, die Formen zu entfalten durch die Folge freier Assoziationen. War jene Idee der Imitation im tiefsten Grunde von unterirdischen dämonischen Kräften erfüllt, so liegt hier als höchstes Ziel eine himmlische Klarheit, ein göttlicher Reichtum vor uns. Diese beiden Grundprinzipien wechselten im steten Wandel bis heute ständig ab, ein vollkommenes Beispiel für Hegels Entwicklung in Gegensätzen. Auf den magischen Zwang in den Kanonformen der Spätgotik folgte die frei assoziative Gestaltung in den Madrigalen und Motetten der Hochrenaissance. Darauf wiederum magischer Zwang in den Barockformen: Fuge, Basso ostinato, Chaconne; freie Assoziation in der klassischen Sonate und Oper. In der Romantik dagegen wieder das Wirken eines magischen Zwanges in der Sonatenform (Beethoven!) und in der Oper (Wagner). Dies zeigt uns nicht nur die Pendelbewegung der Geschichte, sondern aus diesem sehen wir auch noch eines, das uns nun wieder zum Thema zurückführt. Es zeigt sich nämlich, daß die Formen, die den magischen Zwang der Imitation, das Gestalten aus unerbittlicher Notwendigkeit enthalten, bei jeder Wiederkehr nach einer Verdrängung durch das gegensätzliche Formprinzip eine geringere Konsequenz haben, daß der Zwang mehr unter der Oberfläche, im Unterbewußten wirkt. Wohl spüren wir, wenn wir es einmal erfaßt haben, den dämonischen Griff in einer Fuge, einer Passacaille von Joh. Seb. Bach, in der Waldsteinsonate, Sturmsonate von Beethoven, in den Sequenzen Bruckners, aber das Ostinato wird doch immer mehr verdeckt. Es wird schließlich zu einem transzendenten Kontrapunkt jenseits des Klangbildes, um einen Ausdruck Ernst Blochs (Geist der Utopie 1918) zu gebrauchen. Es wäre wohl voreilig, hieraus eine allmähliche Verschmelzung der beiden Prinzipe, oder eine Entwicklung von einem zum andern zu sehen. Immerhin liegt der Gedanke nahe. Eines sehen wir aber deutlich: daß die Konsequenz des Kanons gesprengt werden mußte. Bei Bach tritt er noch gelegentlich auf, so wie Beethoven später manchmal zur Fuge, Wagner zur Sonatenform greift. Aber dann rückt er in andere Sphären.

Es wurden immer wieder Kanons geschrieben, bis in die Gegenwart hinein. Diese Sammlung umfaßt ja Beispiele aus allen Perioden. Von meinem Standpunkt aus muß ich mich diesen gegenüber kürzer fassen. Ich möchte zwei Typen unterscheiden: Den Kanon des Rokoko und den Kanon des 19. Jahrhunderts. Daß der Kanon im Rokoko ein elegantes Gesellschaftsspiel war, wie ich anfangs sagte, ist kein so großer Gegensatz zu unserer Auffassung von der Idee des Kanons, wie man denken möchte. Es ist sicher nicht das einzige Spiel, das früher ein Zauber war. Im Gegenteil: die meisten Spiele gehen wohl in Form und Gehalt ursprünglich auf kultische Zeremonien zurück. Und dann, ich betonte schon, wie nah die Komik der Magie ist.

Ich wage also zu behaupten, daß der Kanon des Rokoko als Gesellschaftsspiel allmählich herausgewachsen ist aus dem alten ernsten und kultischen Kanon. Aus dem Feind wird der Partner, aus der Jagd wird das Haschen, aus der Flucht eine Neckerei, und der unerbittliche Takt wird zum Tanzschritt. In allen Gesellschaftsklassen, ob arm oder reich, ob viele oder nur zwei beisammen sind, der Kanon steht zwischen ihnen als Ausdruck ihres Übermuts und ihrer Harmonie. Ich erinnere an die Beispiele in den Dramen Shakespeares, die der Dichter aus dem Leben gegriffen hat. Überhaupt spielt der Kanon in England eine besondere Rolle. Nicht nur zu dieser Zeit, sondern auch vor der Zeit der Niederländer. Die am wenigsten von der lateinischen beeinflußte germanische Kultur in England scheint der Mutterboden für den Kanon gewesen zu sein. – Wesentlich für den Kanon in dieser Zeit ist, daß er außerhalb der eigentlichen Kunstwerke steht. Die Komponisten schreiben ihn gelegentlich, in einer ausgelassenen Feierstunde, für einen Freund, als scherzhaften Gruß in einem Brief, oder dergl. Das ist nicht ohne Wichtigkeit, denn das besagt doch, daß sie an dieser Stelle frei waren von jedem Virtuosenehrgeiz, frei von der zehrenden Verpflichtung zu einem seelenerschütternden genialen Werk, daß sie sich treiben lassen konnten, „wie die Noten wollten". Wie hellsehend hat doch Luther diesen Gegensatz erkannt, als er von den Alten sprach, die Musik machten, wie die Noten es haben wollten, während in seiner Zeit die Notenmeister aufgekommen wären, die die Musik machten, wie sie es wollten. In diesem Ausspruch Luthers ist alles enthalten, was ich hier zu sagen hatte.

Im 19. Jahrh. ist auch dieser Kanon fast ganz verschwunden. Die wenigen auf dem Dur-Dreiklang aufgebauten Kanons, die wir in unserer Kinderzeit noch als Spiel hörten, Reste in Anhängen von Schulbüchern, sind der letzte Arm eines breiten Stromes. Noch an einer andern Stelle hat sich der Kanon gehalten: in den Kompositionslehrbüchern. Es ist schließlich das von jeher für den Kanon wesentliche Moment der handwerklichen Aufgabe, die mit einer treudigen Geschicklichkeit zu meistern ist, das den Kanon vor dem gänzlichen Vergessen bewahrt hat. So beschämend es eigentlich ist, wie weit sich im 19. Jahrh. Musikpraxis und -lehre voneinander entfernt haben, so ist doch dadurch die Lehre ein Hüter für alte Traditionen gewesen (nicht nur in bezug auf den Kanon), die in der Gegenwart wieder aufgenommen werden. Zu diesen alten Traditionen, die heute wieder aufgenommen werden, gehört auch das Singen und Spielen und Schreiben von Kanons. Seit Reger haben viele zeitgenössische Komponisten sich mit der Aufgabe des Kanons beschäftigt. Es unterliegt für mich auch keinem Zweifel, daß diese Kanonsammlung überall bereiten Boden finden wird. Wer hieran erlebt, wie die unerbittliche Verfolgung ihn packt und nicht mehr los läßt, wie das Imitieren der Stimmen ihm zur Manie wird, wie er schließlich jedes Lied als Kanon singen muß, der weiß, was ich hier beschreiben wollte mit der M a g i e d e r I m i t a t i o n.

1.
Von der Gotik
bis zum Hochbarock

Der Sommerkanon

Zu 7 Stimmen
Altenglisch
aus dem 13. Jahrhundert

Som-mer kam ins Land ge-zo-gen: Kuk-kucksruf er-
schallt, Saa-ten schie-ßen, Blu-men sprie-ßen, neu schmückt sich
der Wald. Sing, Ku-ku! Läm-mer spie-len auf der Wie-sen,
Kälb-lein folgt der Kuh. Bök-ke sprin-gen, Vö-gel
sin-gen, hört ihr den Ku-ku? Sing, Ku-ku! Ach, wie wunder schön singst du, sing uns fröh-lich im-mer-zu.

Dazu Männerstimmen im Kanon zu zweien:

*) Sing, Ku-ku!

Hört ihr's dort im grü-nen Wald,
wie des Kuk-kucks Ruf er-schallt?

*) Den eingeklammerten Ruf singt die zweite Männerstimme nur einmal zu Anfang, worauf sie im 3. Takt mit der Weise der ersten Stimme beginnt.

(Übersetzung von Fritz Jöde)

Zum Tanz

Zu 4 Stimmen
Altfranzösisch
aus dem 13. Jahrhundert

Kommt und laßt uns tan-zen, springen, kommt und laßt uns fröhlich sein.

(Textunterlegung von Fritz Jöde)

Auf die Martinsgans

Aus dem Kloster Lambach
14. Jahrhundert

Zu 3 Stimmen

Mar - tin, lie - ber Her - re, nun laß uns fröh - lich sein,

heut zu dei - nen Eh - ren und durch den Wil - len dein,

die Gäns' sollst du uns meh - ren und den küh - len Wein,

ge - sot - ten und ge - bra - ten, sie müs - sen all her - ein.

Herr Wirt, uns dürstet sehre

Oswald v. Wolkenstein
(1377-1445)

Zu 3 Stimmen

Herr Wirt, uns dür - stet al - so seh - re. Trag auf Wein, trag auf

Wein, trag auf Wein, daß dir Gott dein Leid ver - keh - re, bring

her Wein, bring her Wein, bring her Wein, und dir dein Säl -

den meh - re, nun schenk ein, nun schenk ein, nun schenk ein!

Die Minne füeget niemand

Zu 2 Stimmen

Wolkenstein

Die Min - ne füe - get nie-mand wer da nicht en-hat; wan
wo er hin-gat, man spricht, du Wicht, weh _____ dir, _____
was wilt _____ du mir? ge für - hin drat! hast nicht, so richt
dich pal - de von hin - nen. Dein Min-nen dir ü - bel a - ne-stat.

Mit günstlichem Herzen

Zu 2 Stimmen

Wolkenstein

Mit günstlichem Herzen wünsch ich dir
ain viel gut jar zu die - sem neu
und was auff erd dein Herz bege - ret. Amen, mein Hort,
zwar das ist recht, gedenk an mich, gesel - le mein.

*) Die Zwischenspiele sind von zwei Melodieinstrumenten auszuführen, die den ganzen Kanon begleiten.

Gloria in excelsis Deo

Wilhelm Dufay
(† 1474)

Et in ter-ra___ pax ho-mi-ni-bus bo-næ
vo-lun-ta-tis. Lau-da-mus te. Be-ne-di-ci-
mus te.___ Ad-o-ra-mus te. Glo-ri-fi-ca-mus
te.___ Gra-ti-as a-gi-mus ti-bi propter ma-
gnam glo-ri-am tu-am. Do-mi-ne De-us, Rex cœ-
le-stis. De-us Pa-ter om-ni-po-tens. Do-mi-ne
Fi-li u-ni-ge-ni-te, Je-su Chri-ste. Do-mi-ne
De-us, A-gnus De-i, Fi-li-us
Pa-tris. Qui tol-lis pec-ca-ta___

mun-di, mi-se-re-re no-bis. Qui tol-lis pec-ca-ta mun-di, su-sci-pe de-pre-ca-ti-o-nem __ no-stram. Qui se-des ad de-xte-ram Pa-tris, mi-se-re-re no-bis. Quo-ni-am tu so-lus __ san-ctus. __ Tu so-lus Do-mi-nus. Tu so-lus Al-tis-si-mus, Je-su Chri-ste. Cum __ san-cto Spi-ri-tu, in glo-ri-a De-i Pa-tris. A- -men, A-men, A-men.

Nachspiel

(Ehre sei Gott in der Höhe, und auf Erden Friede den Menschen, welche guten Willens sind. Wir loben dich, wir preisen dich, wir beten dich an, wir verherrlichen dich. Dank sei dir ob deiner großen Herrlichkeit, Herr unser Gott, himmlischer König, allmächtiger Vater, Herr, eingeborener Sohn, Jesus Christus, Lamm Gottes, Sohn des Vaters, der du trägst die Sünden der Welt, nimm an unser Flehen, der du sitzest zur Rechten des Vaters, erbarme dich unser. Denn du allein bist heilig, du allein der Herr, du allein der Höchste, Jesus Christus, mit dem Heiligen Geiste in der Herrlichkeit Gottes des Vaters. Amen.)

Pleni sunt cœli

Aus den Tridentiner Codices
15. Jahrhundert

Zu 2 Stimmen

Ple - - - ni, ple - - - ni sunt coe - - - li et ter - - ra glo - ria tu - - - a.

(Himmel und Erde sind deines Ruhmes voll.)

Qui ex Patre

Aus den Tridentiner Codices
15. Jahrhundert

Zu 2 Stimmen

Qui ex Pa - tre fi - li - o - que pro - ce - dit.
Qui cum Pa - tre et Fi - li - o si - mul ad - o - ra - - - tur et con - glo - ri - fi - ca - - - tur: qui lo - cu - tus est per pro - phe - - tas.
(Schluß 2) - tas, qui lo - cu - tus est per pro - phe - - tas.

(Der dem Vater und dem Sohne entsprossen, zugleich mit dem Vater und dem Sohne angebetet und verherrlicht wird, der sich kundgetan durch die Propheten.)

Qui cum Patre

Zu 2 Stimmen

Jacob Obrecht
(1450-1505)

Qui cum Pa - - tre et Fi - - - li - o
si-mul ad - o - - ra - - tur, et con-glo-ri-
- fi - ca - tur, qui lo-cu-tus est per Prophe -
- - - - tas et unam
- san-ctam ca-tho - - li-cam
ec-cle - - siam, ec-cle - - si-am, ec-cle -
- - si-am, ec-cle - - (-si-am.) - - si-am.

*(Der mit dem Vater und dem Sohne zugleich angebetet und verherrlicht wird, der gere-
det hat durch den Propheten. Und [glaube] an eine heilige katholische Kirche.)*

Zu 2 Stimmen

Pleni sunt cœli

Josquin de Pres
(† 1521)

Ple - ni sunt coe - - - li, ple - ni sunt coe -
- - - li et ter - ra, et ter - ra glo-ri-a,
glo - ri - a tu - a, glo -
ri - a tu-a, glo - - ri - a tu - a.

(Himmel und Erde sind deines Ruhmes voll.)

(Textunterlegung von Fritz Jöde)

Benedictus

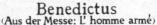
(Aus der Messe: L' homme armé)

Zu 2 Stimmen in der Oktave mit verschiedenem Tempo

Josquin

(Gesegnet ist, der da kommt im Namen des Herrn.)

Zu 3 Stimmen in der Unterquart und der Unterquint mit verschiedenem Tempo*)

Agnus Dei

Josquin

no - - - - - bis. *Einsätze*

*) 3 Halbe des Soprans haben die gleiche Dauer wie 2 Halbe des Basses. Der Tenor bewegt sich im halben Tempo des Basses.

(Lamm Gottes, das du trägst die Sünde der Welt, erbarme dich unser.)

(Textunterlegung von Fritz Jöde)

Zu 2 Stimmen
in der Quint

Pleni sunt cœli

Josquin

Ple - ni sunt coe - - - - - li, ple - ni sunt coe - - - - li, ple - ni sunt coe - - - li et ____ ter - - ra, et ____ ter - - ra, et ter - - ra glo - - - ri - a, glo - - ri - a, glo - - - ri - a tu - - a, glo - - ri - a tu - - - - - - a, tu - - - - - - - - a. *Einsätze*

Himmel und Erde sind deines Ruhmes voll.

(Textunterlegung von Fritz Jöde)

Pleni sunt cœli
(Aus der „Missa sine nomine")

Josquin

Zu 2 Stimmen
in der Sekunde

Ple - - nisunt, ple - - nisunt coe - - li et ter - - ra, et ter - - ra glo - - ri-a, glo - - ri-a tu - - a, glo - - ri-a tu - a, glo - - ri-a tu - - a, tu - a, glo - - ri-a tu - - a, tu - - a, tu - a, tu - - a, tu - - - - - a, glo - - - - - - - - ri-a tu - a.

Einsätze

(Himmel und Erde sind deines Ruhmes voll.)   (Textunterlegung von Fritz Jöde)

Agnus Dei

Josquin

Zu 2 Stimmen
in der Untersekunde

A - gnusDe - - i, A - gnusDe - i, qui tol - -lis pec-ca - ta mun - di, mi-se-re- - - - re no - (-bis.) - bis.

Einsätze

(Lamm Gottes, das du trägst die Sünde der Welt, erbarme dich unser.)
(Textunterlegung von Fritz Jöde)

Pleni sunt cœli

Zu 2 Stimmen
in der Sekunde

Josquin

Ple - ni sunt cœ - li et ter - ra, ple - - ni sunt

cœ - - li, ple - - ni sunt cœ - - li,

cœ - - - - li, cœ - li,

cœ - li, cœ - li, cœ - li, cœ - li, cœ -

li et ter - - ra, ter - - ra,

ter - - ra, ter - ra, ter - ra,

ter - ra glo - - ri - a tu - a, glo - ri-

a tu - a, glo - ri - a tu - a, glo - ri-a tu - a, glo - ri - a tu - a,

glo - ri-a tu - a, glo - ri-a tu - a, glo - ri-a tu - a, tu -

- a, glo - ri-a tu - - a, glo - ri-a tu - a, glo - ri-a

tu - a, tu - - a.

(-a.)

Einsätze

(Himmel und Erde sind deines Ruhmes voll.)

Miserere

Gregorius Meyer
um 1500

*Zu 2 Stimmen
in der Unterquint*

1. (T)   2. (B)

Mi - se - re - re, mi - se - re - - - re, mi-

se - re - - - re, mi - se - re-re fi - -li Da - vid,

mi - se - re - - - re, fi - li Da - - vid,

fi - - li Da-vid, Da - - - - -

- - - vid, Da - (-vid.) - vid.   *Einsätze*

(Erbarme dich mein, du Sohn David.)   *(Textunterlegung von Fritz Jöde)*

Laudate Dominum

Meyer

*Zu 2 Stimmen
in der Unterquint*

1. (T)   2. (B)

Lau - da-te Do - - minum, lau-da-te Do - - mi-

num, omnes gen-tes, om - - - nes gen-tes, lau-da-te, —— lau-

da-te, —— lau-da - te, —— lau - da - - te, ——

lau-da-te Do - - minum, lau-da-te Dominum, lau-da - te Do-

mi-num, lau-da-te Do-mi-num, lau-da - te Do - - minum,

8 Do - mi-num, Do - (-mi-num.) - minum.

(Lobet den Herrn, alle Völker.)

(Textunterlegung von Fritz Jöde)

Confide filia

Zu 2 Stimmen in der Unterquint

Meyer

Con-fi - - - - de fi - - li-a, con-

fi - - de, con-fi - - de, con-fi - - de

fi - li - a, con-fi - - de, con-fi - - - de

fi - li - a, fi - - - li-a.

Einsätze

(Sei getrost, meine Tochter.)

(Textunterlegung von Fritz Jöde)

Agnus Dei

Zu 2 Stimmen

Marbriano de Orto
um 1500

A - - - gnus, A - - - gnus De - i,

A - gnus De - i, qui tol - lis, qui tol - -

- - - - lis pec - - ca - ta

mun-di, mi - - se-re - - - re, mi - se-re -

- - - - re no - bis, no - bis.

(Lamm Gottes, das du trägst die Sünde der Welt, erbarme dich unser.)

Agnus Dei

(Aus der „Missa de beata Virgine")

Zu 2 Stimmen in der Oktave
mit verschiedenem Tempo

Heinrich Finck
um 1500

*) Der Tenor im halben Tempo des Basses.
(Lamm Gottes, das du trägst die Sünde der Welt, erbarme dich unser.)

Non nobis Domine

Zu 3 Stimmen in der Unterquart und Unteroktave

William Bird
(1543-1623)

Non nobis Domine, non no-bis, sed nomini tu - o da glo-ri-am,

Einsätze

sed nomini tu - o da glo-ri-am.

(Nicht uns, o Herr, nicht uns, sondern deinem Namen gebührt der Ruhm.)

Pleni sunt cœli

(Aus der sechsstimmigen Missa Sacerdotes Domini)

Zu 3 Stimmen in der Sekunde

Giovanni Pierluigi da Palestrina
(1526-1594)

Ple-ni sunt cœ-li ____ et - ter - ra, et - ter-

- ra glo-ri-a tu -

- a, glo-ri-a tu - - - - a, glo-ri-a

tu - - a, glo-ri-a tu - - - a,

Einsätze

tu - - a, glori - a tu-a.

(Himmel und Erde sind deines Ruhmes voll.)

Illumina oculos meos

Zu 3 Stimmen

Palestrina

Il - lu - mi-na o - cu-los me - - - os,

ne un-quam ob - dor - mi-am in mor - - te.

(Erleuchte meine Augen, daß ich nicht im Tode entschlafe.)

In Domino

Palestrina

Zu 4 Stimmen in der Quint

In Do - mi-no læ - ta-bi-tur a - ni-ma me - a, au - di-ant man - - sue - ti et læ-tan - - tur.

(Im Herrn wird sich freuen meine Seele, es mögen hören die Friedfertigen und sich freuen.)

Aus tiefer Not

Martin Agricola
(1486-1556)

Zu 2 Stimmen

Aus tie - fer Not schrei ich zu dir, Herr Gott, er - hör mein
und neig dein gnä-dig Ohr zu mir, laß, was ich bitt, ge-

Fle - - hen,
sche - - hen.
Denn so du willst das se -

hen an, was Sünd und Un - recht ist _____ ge-

- tan, wer kann, Herr, vor dir blei - ben, wer kann,

Herr, vor _____ dir, wer kann, _____ Herr, vor dir blei -

- ben, vor _____ dir blei - - ben?
(blei - ben?)

Benedictus

Heinrich Faber
(† 1552)

Zu 2 Stimmen

Be - ne - di - - ctus, be - ne - di - - ctus, qui ve - nit, _____

qui ve - nit, _____ qui ve - nit, _____ qui ve - nit _____ in _____ no - mi - ne, in _____ no - mi - ne, in _____ no - mi - ne, in _____ _ no - mi - ne Do - - - - - - - - mi - ni, in no - - mi - ne, in no - - mi - ne, in no - - mi - ne, in no - - mi - ne Do - - - - - - - - - - - mi - ni.
(-mi - ni.)

(Gesegnet ist, der da kommt im Namen des Herrn.)

(Textunterlegung von Fritz Jöde)

Sanctus

Georg Rhau
(1488-1548)

Zu 2 Stimmen

San-ctus Do-mi-nus De - - us, san - - - - - ctus, san - - - ctus, san - - - - - ctus, san - - - - - ctus, san - - - ctus, san - - ctus Dominus ___ De - us, san - - - ctus Do-minus, Do-minus De - us, De - - us, De - - us, De - - us, san - - - - us, - - ctus, Do-mi-nus ___ De - - us.

(Heilig ist der Herr, unser Gott.)   *(Textunterlegung von Fritz Jöde)*

Omnes qui transitis per viam

Rhau

Zu 3 Stimmen

Om - - - nes, om - - nes ___

qui trans-i - tis ___ per ___ vi - am, ___

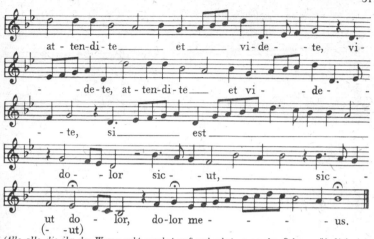

(Alle, alle, die ihr des Weges geht, merket auf und sehet, wenn der Schmerz ähnlich ist wie mein Schmerz.)

Benedicamus Domini

(Laßt uns den Herrn loben.)   *(Textunterlegung von Fritz Jöde)*

Sanctus

(Heilig.)   *(Textunterlegung von Fritz Jöde)*

Gloria

Ungenannter Meister
des 16. Jahrhunderts

Zu 4 Stimmen

Glo - ri - a in ex-cel - sis De - o, glo - ri - a in ex-

cel-sis De - o, glo - - ri - a, glo - -

- ri - a, glo - - ri - a in ex - cel - sis

De - o, De - - o, in ex - cel - sis De - -

- o, glo - ri - a in ex-cel - sis De - o,

in ex-cel - sis De - - o, in ex - cel - sis De -

- - - o, in ex - cel - sis

De - - - o, De - o, De-o, De-o.

(Ehre sei Gott in der Höhe.)   (Textunterlegung von Fritz Jöde)

Tibi laudes decantabo

Ungenannter Meister
des 16. Jahrhunderts

Zu 2 Stimmen

Ti - bi lau-des de - can - ta - bo, de -

can - ta - bo in per-pe - tu - a___sæ - cu - la, sæ -

cu - la, de - - can - ta - - - - -

- - - bo, de-can-ta - - - - bo in per-

pe - - - -tu-a sæ - - - cu-la, sæ -

- - - - - cu-la, sæ - - - cu-la.

(Dein Lob singe ich in Ewigkeit.)

(Textunterlegung von Fritz Jöde)

Miserere

Johann Crusius
um 1600

Zu 3 Stimmen

Mi - se-re - - re, mi-se-re - - - re

no - - - - bis, mi-se-re - - - -

re no - - - bis, mi- se- re - - re, mi-se-

re - - - re no - - - - - bis, no - -

- - bis, mi-se-re - - re no - - -

- - - bis, no - - - - - bis,

no - - - bis, no - - - - - bis.

(-bis.)

(Herr, erbarme dich unser.)

(Textunterlegung von Fritz Jöde)

Kanon 1

34

Ave Maria

Zu 2 Stimmen   Crusius

A - ve Ma-ri - - a, Ma-ri - - a gra-

ti - o - sa, Ma-ri - a gra-ti - o - sa, a - - ve

Ma-ri - a gra - ti - o - sa, gra - ti - o - - sa. (-sa.)

(Gegrüßt seist du, Maria voller Gnaden.)   *(Textunterlegung von Fritz Jöde)*

Ave Maria

Zu 4 Stimmen   Adam Gumpelzhaimer
(1559-1625)

A - ve Ma-ri - - a gra-ti-o - - -

- - - sa, gra - ti - o - - - sa,

Do - mi-nus te - - - - - - cum. (-cum.)

(Gegrüßt seist du, Maria voller Gnaden, der Herr ist mit dir.)

Benedictus

Zu 2 Stimmen   Gumpelzhaimer

Be - ne - di-ctus, be-ne-di - ctus, be-ne-di -

ctus, qui ve - - - nit in no-mi-ne, in no-mi-ne,

qui ve - - - - - nit, qui ve - -

- - -nit, qui ve - - - - - nit, qui

ve - - - - - nit in no-mi-ne Do-mi-ni,

in no-mi-ne___ Do-mi-ni, in no-mi-ne___

Do-mi-ni,___ in no-mi-ne, in no-mi-ne, in no-

mi-ne Do - - - - - mi-ni.
(-mi-ni.)

Qui nos creavit

Zu 2 Stimmen   Gumpelzhaimer

Qui nos cre - a - vit, re - di-mit et pa - rit,

il - li gra - ti - as a - - - - gi-mus sem -

pi - ter - - nas, A - - - men, sem-pi-

ter - nas, A - - - men, A - - - men.

Der uns erschuf, erlöste und behütete, ihm sagen wir Dank. Amen.)

36

Miserere

Zu 2 Stimmen Gumpelzhaimer

Mi - se - re - re, mi - se - re - - re,

mi - se - re - - re, mi - se - re - re me -

- - i, me - - - - - i,

mi - se - re - re, mi - se - re - re, mi - se - re - re, mi - se -

re - re, mi - se - re - re, mi - se - re - - re.

(Herr, erbarme dich meiner.)

Der grimmig Tod

Zu 2 Stimmen Gumpelzhaimer

Der grim - mig Tod mit sei - nem Pfeil tut nach dem Le - ben

zie - - - - len, tut nach dem Le - ben zie - len,

der —— grim - - mig Tod, der —— grim - mig Tod,

der grim - mig Tod mit sei - nem Pfeil, der —— grim - mig

Tod mit sei - nem Pfeil tut nach dem Le - - - - ben,

nach dem Le - ben zie - len, _____ zie - len.

Gloria

Zu 2 Stimmen

Gumpelzhaimer

Glo - ri - a in ex - cel-sis De - o et in ter - ra pax ho - mi - ni - bus bo - næ vo-lun-ta - tis. Lau-da - - mus te, be-ne-di - ci - mus te, ad - o - ra-mus te, glo - ri - fi - ca - mus te, gra - ti - as a - gimus ti - bi pro-pter ma-gnam glo - ri-am tu - am. Do-mi - ne De - us, Rex cœ - le - stis, De - us pa-ter om-ni - po-tens, u - ni-ge - ni - te Je - su Chri - ste, Do - mi - ne, a-gnus De - i, fi - li - us pa - tris, pa - tris, fi - li-us pa - tris, _____ pa - tris.

(Ehre sei Gott in der Höhe und auf Erden Friede den Menschen, welche guten Willens sind. Wir loben dich, wir beten dich an, wir preisen dich, wir sagen dir Dank um dei-ner großen Herrlichkeit willen. Herr Gott, himmlischer König, allmächtiger Vater, Herr, eingeborener Sohn, Jesus Christus, Herr, Lamm Gottes, Sohn des Vaters.)

38

Domine

Zu 3 Stimmen

Gumpelzhaimer

Do - mi - ne, re - fu - - - - - gi - um
(-nem.)

fa - ctus es no - - - - - bis a ge -
(-nem.)

ne - ra - tio - ne in ge - ne - ra - - - tio-nem.
(-tio-)

(Herr, du bist unsre Zuflucht für und für.)

Geht hin in alle Welt

Zu 2 Stimmen

Gumpelzhaimer

Geht _____ hin ____ in al - - le Welt, leh - ret

al - le Völ - ker und tau - fet sie, und tau - - fet

sie im Na - men des Va - ters und des Sohns ____

und des Hei - li - gen Gei - - stes, und des Hei - li -

gen Gei - - - stes, Gei - - stes.

Haussegen

Zu 2 Stimmen

Gumpelzhaimer

Wo Gott zum Haus nicht gibt sein Gunst, wo Gott zum Haus nicht gibt

____ sein Gunst, da arbeit't je - dermann ____ umsunst, da arbeit't je - dermann um

Confirma hoc

Zu 2 Stimmen

Gumpelzhaimer

Con-fir - ma hoc o___ De-us, quo de - spe - ra - tus es

in ___ me, et a re - si - sten - ti-bus, et a

re - si - sten - - ti-bus, dex - te - ræ tu - æ cu -

sto - di me, ut pu - pil-lam o - cu-li. Da vir - tu-tem tu -

am ser - vo tu - - o, ser - vo tu - -

o, ut per - se - ve - rem in be - ne o - pe - ran -

- do, in be - ne o - pe - ran - do, in be - ne o - pe - ran -

- do, ad glo - ri-am tu - am, tu - - am,

ad glo - ri-am tu - am, tu - - am, ad glo - ri - am

tu - - am, tu - - am, tu - - am.

(Mach fest, o Gott, in mir, worüber du verzweifelt bist, und vor dem, was deiner Rechten widerstrebt, bewahre mich wie den Augapfel. Gib Tugend deinem Knecht, damit ich verharre in gutem Tun, zu deiner Ehre!)

Gebet

Zu 2 Stimmen   Gumpelzhaimer

O Herr, nimm von mir, was mich wend't von dir, o Herr, gib

auch mir, ____ das mich kehrt zu dir. O Herr, nimm mich

mir ____ und gib mich ei- gen dir. O Herr, nimm mich

mir ____ und gib mich ei - gen dir. ____

Benedic Domine nos

Zu 2 Stimmen   Gumpelzhaimer

Be - ne - dic Do-mi-ne nos, et hæc do - na tu - a,

quæ de tu - a lar - gi-ta - te sum - - -

ptu - ri, sum - ptu - ri ____ per Chri - -

stum, per Christum Do - - mi - num ____ no-strum,

A - - men, per Christum Do - -

- - mi-num ____ no - strum, A - - men.

(Segne uns, Herr, und diese deine Gaben, die wir aus deiner Fülle nehmen durch Christum, unsern Herrn. Amen!)

Hodie Christus natus est

Zu 2 Stimmen

Gumpelzhaimer

Ho - di - e Chri-stus na - - - tus est,___

ho - di - e Chri-stus na - tus est, ho - di - e

sal - va - - - - tor ap - pa - ru - it,

ho - di - e in ter - - - ra ca - - nent

an - ge - li, læ - - tan-tur arch - an - ge - li, ex -

ul-tant ju - sti, ex - ul-tant ju - sti, ex - ul-tant ju - sti, di -

cen - tes: glo - ri - a in ex - cel - - sis De - o,

glo - ri - a in ex - cel - - sis De - o.

Al - le - - lu - ja, Al - le - lu - ja, Al - le - lu -

- - - ja, Al - le - lu - ja,___

Al - le - lu - ja, Al - le - - lu - ja, Al - le - lu - ja,

Al - le - lu - ja, _____ Al - le - lu-ja, Al - le - lu - ja, Al - le - lu - ja, Al - le - lu - ja.

(Heute ist Christus geboren, heute ist der Heiland erschienen, heute singen die Engel auf Erden. Es freuen sich die Erzengel, es jauchzen die Gerechten und sagen: Ehre sei Gott in der Höhe. Halleluja!)

Lætatus sum

Zu 2 Stimmen

Gumpelzhaimer

Læ - ta - - - tus _____ sum in his, _____ in his, _____ in his quæ di - cta sunt mi - hi, in domum Do-mi-ni i - - - bimus. (-bimus.)

(Ich habe mich gefreut in dem, was mir gesagt worden ist: wir werden in das Haus des Herrn gehen.)

Cantate Domino

Zu 4 Stimmen

Gumpelzhaimer

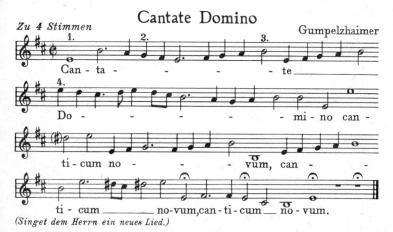

Can - ta - - - te _____ Do - - - - mi - no can - ti - cum no - - - vum, can - ti - cum _____ no-vum, can - ti - cum _____ no - vum.

(Singet dem Herrn ein neues Lied.)

Cantate Domino

Zu 2 Stimmen

Gumpelzhaimer

Can - ta - - - - - - - - - - te Do - mi - no can - ti - cum no - vum, no - - vum, laus e - jus in ec - cle - si - a san - cto - rum, læ - te - - - - - - tur Is - - ra - el in e - o qui fe - cit e - um, qui fe - cit e - um, et fi - li - æ Si - on ex - ul - tent in Re - ge su - o, ex - ul - tent in Re - ge su - o, ex - ul - tent in Re - ge su - o, ex - ul - tent in Re - ge su - o, ex - ul - tent in Re - ge su - - - o.
(su - o.)

(Singet dem Herrn ein neues Lied. Sein Lob sei in der Gemeinde der Heiligen. Es freue sich Israel in dem, der es gemacht hat. Und die Töchter Zions mögen frohlocken in ihrem König.)

Agnus Dei

Zu 4 Stimmen

Gumpelzhaimer

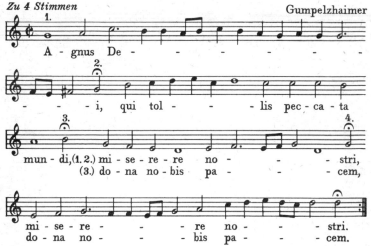

A - gnus De - - - - - -
- - i, qui tol - - - lis pec - ca - ta
mun - di, (1. 2.) mi - se - re - re no - - - stri,
(3.) do - na no - bis pa - - - cem,
mi - se - re - - - re no - - - stri.
do - na no - - - bis pa - - - cem.

(Lamm Gottes, das du trägst die Sünde der Welt, erbarme dich unser, gib uns Frieden.)

Verbum Domini

Zu 5 Stimmen

Gumpelzhaimer

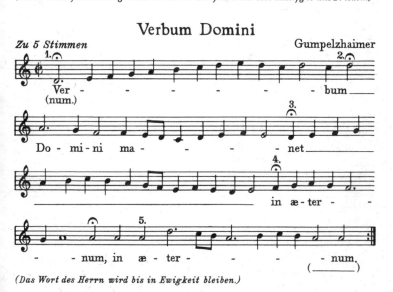

Ver - - - - - - - bum
(num.)
Do - mi - ni ma - - - - net
in æ - ter - -
- - num, in æ - ter - - - - num.
(____ num.)

(Das Wort des Herrn wird bis in Ewigkeit bleiben.)

46

Vom Himmel hoch

Zu 4 Stimmen

Johann Friderich
um 1600

Vom Himmel hoch da komm ich her, ich bring euch gu-
te neu-e Mär; der gu-ten Mär bring ich _____ so viel,
bring _____ ich so viel, da-von ich singn und sa-gen
will, da-von ich singn und sa-gen will, _____
da-von ich singn und sa-gen will, sa - - gen will.
(sa - gen will.)

Ein feste Burg

Zu 4 Stimmen

Friderich

{ Ein fe-ste Burg ist un - - ser Gott, ist un-ser
{ Er hilft uns frei aus al - - ler Not, aus al-ler

Gott, ein gu-te Wehr und Waf - fen, ein gu-te
Not, die uns jetzt hat be-trof - fen, die uns jetzt

Wehr und Waf-fen, _____ und Waf-fen, und Waf-fen.)
hat be-trof-fen, _____ be-trof-fen, be-trof-fen.)

Der alt _____ bö-se Feind, mit Ernst er's _____ jetzt meint,

mit Ernst er's jetzt meint, groß Macht und viel List sein grau-

sam Rüstung ist, auf Erd' ist nicht sein's-glei - chen, auf

Erd ist nicht _____ sein's- glei - chen,

sein's-glei - chen, _____ sein's-glei-chen, sein's-glei-chen.

Dankgebet

Zu 3 Stimmen

Friderich

Dan - ket dem Herrn, _ dan-ket ihm gern, _ dem Herrn _

und Hei-land, beugt eu-re Knie-e und erhebt die Stimmen all - -

zu-mal: Dank sei un-serm Her - - - - ren, Dank

sei ihm, _ dem Herrn und Hei-land, denn der Herr hat Gro-

- ßes, denn er hat Großes an uns ge-tan, an uns ge - tan,

denn er hat Großes an uns ge-tan, an uns ge - tan, ja Gro-

- - - - ßes, ja Gro-ßes, ja Gro - ßes.

(Textunterlegung von Fritz Jöde)

48

Vom Mitleid Gottes

Zu 2 Stimmen

Matteo Asola
(† 1609)

Gott steigt her-nie - der in sei-ner Glo-ri - e, wo er
mit-lei - det Not. Noch vor der Höl - le Tor ret - tet er den,
der im To - - - de Sün - - - -
de bü - - ßet, Sün - - de bü-ßet. Noch vor
der Höl - - le Tor ret - tet er, noch vor
der Höl - - le Tor ret-tet er den, der im To - de,
den, der im To - de Sün - de bü-ßet, den, der im To -
de Sün - - - - de bü - - ßet.

(Übersetzung von Fritz Jöde)

Mein Vertrauen

Zu 4 Stimmen
in der Oberquint

Hans Leo Hassler
(1564-1612)

Mein ___ Vertrauen steht in Christum al - lein, ___ mein ___
Ver-trau-en steht in Chri- stum al-lein, mein ___ Vertrauen
steht in Christum al-lein.

Einsätze

Gelobet seist du

Zu 2 Stimmen
in der Unterquint

Georg Polarius
um 1600

Ge - lo - bet seist du, Je - sus Christ, ge - lo - bet seist du, Je - sus Christ, der du Mensch ge - bo - ren bist, der du Mensch ge - bo - ren bist von ei - ner Jung - frau, das ist wahr, deß freu - et sich der En - gel Schar, der En - gel Schar.

Einsätze

Gott, mein Herz ist bereit

Zu 3 Stimmen

Daniel Friederici
um 1600

Gott, mein Herz ist be - reit, Gott, mein Herz ist be - reit, daß ich lob - sin - ge. Gott, mein Herz ist be - reit, daß ich lob - sin - ge, lob - sin - ge, daß ich lob - sin ge, lob - sin - ge, daß ich, daß ich lob - sin - ge, daß ich lob - sin ge.

Bitte

Zu 2 Stimmen

Friederici

Rich-te mich, Gott, und füh-re mei-ne Sa-che, meine Sa - -

che wi-der das un - hei-li - ge Volk und er-ret - - te mich

und er-ret - - te mich und er-ret - - te mich von

den fal - - schen und bö-sen, bö - - - sen Leuten,

bö - - sen Leu-ten, bö - - - sen Leuten,

bö - - - sen Leu-ten, bö - - - - -

- - sen Leu-ten, von den falschen und bö-sen Leu-ten, und bö-

sen Leu - - ten, und bö-sen Leu - ten, und bö-sen Leu-ten.

Wirf dein Anliegen auf den Herrn

Zu 2 Stimmen

Friederici

Wirf dein An-lie - gen auf den Her - - ren, auf den Her

ren, auf den Her - - ren, er wird dich wohl, _____ er

wird dich wohl er-hö - - ren, er wird dich wohl ___ er-hö - -

51

- ren, dich wohl er-hö - - ren, dich wohl er-hö - - ren.

Gloria

Zu 2 Stimmen in der Unterterz

Christoph Demantius
(1567-1643)

Glo - ri-a in ex - cel - - - sis De - o,

glo - ri-a in ex - cel - - - sis De - o, glo - ri-

a in ex - cel - - - sis De - o, glo - ri-a in (glo-

ex - cel - - - sis De - o. *Einsätze*
ri - a.)

(Ehre sei Gott in der Höhe.)

Nu, nu, nu, nu

Zu 3 Stimmen in der Quint

Michael Praetorius
(1571-1621)

Nu, nu, nu, nu, nu schall und sich zu, wat en

Gsang is dat, und wie kann dat sin, drei Stimm in ein,

singt al - le nach mir. Fa di don, di - ri don don

don, laßt uns freu-en und fröh-lich sein. La ri don,

di - ri don don don. *Einsätze*

52

Singet dem Herren!

Zu 5 Stimmen   Praetorius

Singt dem Her-ren, sin-get ihm und ju - bi-lie-ret al - le-sämt in
(-liert.)   (-le - samt.)

die-ser Mor-gen-stun-de, kom-met her-bei und dan-ket ihm.

(Textunterlegung von Fritz Jöde)

Viva la Musica!

Zu 3 Stimmen   Praetorius

Vi - va, vi - va la Mu - si - ca! Vi - va,

vi - va la Mu - si - ca! Vi - va la Mu - si - ca!

(Es lebe die Musik.)

Flamme empor! Christoph Praetorius
(*1574)

Zu 4 Stimmen

Flam-me em - por, _____ leuch - te

uns, führ uns zum Heil _____ in dir!*)

) Alle Stimmen vereinigen sich im Schlußton.   (Textunterlegung von Fritz Jöde)

Lobet den Herrn! Erasmus Sartorius
(1577-1637)

Zu 4 Stimmen

{ Lo - bet den Her - ren, al - le Hei - den, }
{ prei - set den Her - ren, al - le Völ - ker, }   denn

sei - ne Gnad und Wahr-heit wal-tet ü - ber uns,   denn

sei - ne Gnad und Wahr-heit wal - tet ü - ber uns. Prei-

Mit Instrument und Saitenspiel

Zu 7 Stimmen   Sartorius

Mit In - stru - ment und Sai - ten - spiel _____ ver -
solch' Kunst auch Jung und Alt er - freut _____ zu
christ - lich' Ge - säng' und Psal - men fein _____ auf

treibt _____ man Sorg' und Un - muts viel,
Trüb - - - sal und auch Her - ze - leid,
Sai - - - ten - spiel Gott g'fäl - lig sein.

Nun bitten wir

Zu 4 Stimmen   Sartorius

Nun bit - ten wir den Heil' - - gen Geist, _____ nun bit - ten

wir den Heil' - gen Geist, den Heil'gen Geist um den _____ rech - ten

Glau - ben al - ler - meist, al - ler - meist, daß er uns be - hü - te, daß er

uns be - hü - te an unserm En - de, an unserm En - de, an unserm

En - de, wenn wir heimfahren aus die - sem E - len - de. Ky - rie e -

lei - son, Ky - rie e - lei - son, Ky - rie _____ e - lei - son, e - lei - son.

Musica et vinum

Zu 2 Stimmen   Sartorius (?)

Mu - si - ca et vi - - num læ - ti - fi - cant cor ho - mi - num.

(Musik und Wein erfreuen des Menschen Herz.)

Was soll ich aus dir machen?

Zu 4 Stimmen

Sartorius

Was soll ich aus dir ma-chen, Is - ra - el? Soll ich dich

schüt-zen, Is - ra - el?___ Soll ich nicht bil - lig ein A - da-

ma aus dir ma-chen, und dich wie Ze-bo - im zu- rich-ten?

A - ber, a - ber, a - ber mein Herz ist an-ders

Sin - - nes, ist an-ders Sin-nes, ist an-

ders Sin-nes, ist an-ders Sin-nes, an-ders Sin-nes, mei- ne

Barmher-zig-keit ist in-brün - stig, ist in-brün-stig,

daß ich nicht tun will nach mei-nem grim-migen Zorn,

noch mich keh-ren, E - phra-im zu ver-der-ben, noch

mich keh-ren, noch mich keh-ren, E-phra - im zu ver-

der - ben, ver-der-ben, ver-der-ben, ver - der-ben, ver-der-ben.

In Domino

Zu 2 Stimmen

Sartorius (?)

In Do-mi-no, in Do-mi-no, læ-ta-bi-tur
a-ni-ma me-a, au – – di-ant man-sue-ti et
læ – – – tan-tur, et læ –
– – – tan-tur, et læ – – –
tan-tur, læ – tan – – tur,____ læ – tan-tur.

(Im Herrn wird meine Seele sich freuen, es müssen hören die Friedfertigen und sich freuen.)
(Textunterlegung von Fritz Jöde)

Wer Musicam verachten tut

Johann Staden
(1579-1634)

Zu 8 Stimmen

Wer Mu - si-cam ver-ach - - ten tut,
(wer.) (-acht't.)
der ist nicht wert,____ sie z'hö-ren gut.

Reu', Trübsal

Staden

Zu 6 Stimmen

Reu', Trüb-sal, Jam-mer, Angst____ und Not
dar-wi-der find'st kein Ar - - ze-nei
ist in der Welt, zu-letzt der Tod;
als Chri-stum, so uns ma-chet frei.

Gedenke, Herr

Samuel Scheidt
(1587–1654)

Zu 2 Stimmen

Ge-den-ke, Herr, der schwe-ren — Zeit, ge-den-ke, Herr, der schwe-ren — Zeit, der schwe-ren — Zeit, da-mit der Leib ge-fan-genleit, ge-fan-genleit, ge-fan-gen — leit. Der

Ge — den — ke, Herr, der schwe — ren Zeit, da — mit der Leib ge — fan — gen leit.

Herr, wie lange

Zu 2 Stimmen

Melchior Vulpius
(1602-1616)

Herr, wie lan-ge soll ich flehn zu dir? Herr, wie lan-ge soll ich flehn ___ zu dir? Erbarm dich mein, erbarm dich mein, er - barm, ___ er - barm ___ dich mein, ___ er - barm, ___ er-barm, ___ er-barm, ___ er - barm ___ dich mein! Herr, mein Gott, wie lange soll ich flehn zu dir?

(Textunterlegung von Fritz Jöde)

Es ist ein Ros' entsprungen

Zu 4 Stimmen

Vulpius

Es ist ein Ros' ___ ent-sprun-gen aus ei-ner Wur - - - zel zart, wie uns die Al - ten sun - - gen, von Jes-se kam ___ die Art.

(Textuntunterlegung von Fritz Jöde)

Verbum Domini

Zu 2 Stimmen　　　　　　　　　　　　　　　　　　　　　Vulpius

Ver - bum Do - mi-ni, ver-bum Do - -

- - mi-ni, Do - - - -

- mi - ni ma - - net in æ-ter-num,

æ-ter - - num, æ-ter - - num,

ma - - - net, ma - -

- - net in æ-ter - - num, in æ-ter - -

num, ver - - bum Do -

- mi-ni ma - - net in æ-ter - -

num, æ-ter - - num, ma-net in æ-ter-num, æ-ter-num.

(Das Wort des Herrn wird bleiben in Ewigkeit.)　　　　*(Textunterlegung von Fritz Jöde)*

Gottes Tag

Johann Rudolf Ahle
(1625-1673)

Zu 8 Stimmen

Gott der Va - ter sprach: Es wer - de Licht! Und
(Tag.)
es wur - de Licht. Und es schied des Ta - ges
(wur - de Licht.)
hel - les Licht sich von der Fin - ster - nis tie - fer
Nacht. So wur - de un - sers Her - ren er - ster Tag.
(Tag.)
(er - - ster)

(Textunterlegung von Fritz Jöde)

Gebet

Ahle

Zu 4 Stimmen

Gott der Va - ter wohn' uns bei und laß uns nicht ver -
der - ben! Gott der Va - ter wohn' uns bei und laß
uns nicht ver - der - ben! Mach uns al - ler Sün - den
frei und hilf uns se - lig ster - ben! Mach uns al -
ler Sün - den frei und hilf uns se - lig ster - ben!

62

Gloria in excelsis Deo

Zu 3 Stimmen

Ahle

o, Glo-ri-a, glo-ri-a in ex-cel-sis, in ex-cel-sis

De - o, in ex-cel - sis De - o. Glo-ri-a, glo-ri-a

in___ ex-cel-sis, in ex-cel-sis De - o, De - o. Glo-ri-

a in ex - cel-sis De - o, in ex-cel - sis De - o.

(Ehre sei Gott in der Höhe.)

Dich rufe ich

Zu 2 Stimmen

Christoph Bernhard
(1628-1692)

Dich rü - fe ich: Hilf du mir von al - len___

mei - nen Ver-fol - gern und er-ret - te mich, und er-

ret - te___mich, daß sie nicht wie Lö - wen mei - ne See-

le ha-schen und zer - rei - ßen, weil kein Ret-

ter＿ da ist. Herr, mein Gott, hilf du mir!

(Textunterlegung von Fritz Jöde)

Herr, wer wird bestehn

*Zu 2 Stimmen
in der Unterquint*

Bernhard

Herr, so du willst Un - recht zu - mes - - sen,

wer wird bestehn, wer wird bestehn vor dei - nem An -

- - - - ge-sicht.

Einsätze

(Textunterlegung von Fritz Jöde)

Werkspruch

Zu 2 Stimmen

Bernhard

Baut das Werk im Her - ren, daß er＿ al - -

lein des Wer - kes Er - bau - er und sein Er - hal - ter

ist. Baut das Werk＿ im Her - ren, im Her - ren!

(Textunterlegung von Fritz Jöde)

64

Benedictus
(aus der „Messa di San Carlo")

Zu 3 Stimmen
in der Unterquart
und Unteroktav

Johann Joseph Fux
(1660–1741)

Be - ne - di - ctus, qui ve - - nit, be - ne -
di - ctus, qui ve - nit in no - mi - ne Do -
mi - ni, Do - - mi - ni.
(Do - - mi - ni.)

Einsätze

(Gesegnet ist, der da kommt im Namen des Herrn.)

Sanctus
(aus der „Messa di San Carlo")

Zu 4 Stimmen
abwechselnd in der
Quint und Oktav

Fux

San - ctus, san - - ctus, san-ctus, san-ctus,
san - - ctus Do - minus De -
us Sa - - ba - oth. Ple - ni sunt cœ -
- li et ter - ra glo - ri - a, glo -
ri - a, glo - ri - a tu - a, tu - a, tu -
- a, tu - a.

Einsätze

(Heilig, heilig, heilig ist der Herr Zebaoth. Himmel und Erde sind seines Ruhmes voll.)

Osanna
(aus der „Messa di San Carlo")

Zu 4 Stimmen abwechselnd in der Quart und Oktav

Fux

O - san - na in ex - cel - sis, o - san -
- - - na in ex - cel - sis, o - san - na
in ex - cel - sis, o - san - na in ex - cel - sis, o -
san - na in ex - cel - - - sis, in ex -
cel - - - sis, in ex - cel - sis, o - san -
na in ex - cel - sis, in ex - cel - (-sis.) - sis,
in ex - cel - sis.
(ex - cel - sis.)
(Hosianna in der Höhe.)

Einsätze

Hochzeitssang

Zu 3 Stimmen

Antonio Caldara
(1670-1736)

Wo du hingehst, da will auch ich hingehn; dein Weg ist
mein Weg. Und wo du bleibst, da bleib' auch ich; dein Haus ist mein
Haus. Mein gan - zes Le - ben will ich mit dir tei - len.
(Textunterlegung von Fritz Jöde)

66

Wer ohne Sünde ist

Zu 3 Stimmen

Caldara

Wer oh - ne Sün - de ist, der tre - te vor,

wer oh - ne Sün - de ist, der tre - te vor,

und er er - he - be sein Wort wi - der die - se(n) hier!

Am Schluß vereinigen sich alle Stimmen in der letzten Zeile, die von allen Angekommene solange wiederholt wird, bis sie einstimmig erklingt. *(Textunterlegung von Fritz Jöd)*

Den ewigen Besserwissern

Zu 3 Stimmen

Caldara

Stu - diert nur noch ein wenig mehr, das ver - mißt man sehr

Stu - diert nur noch ein wenig mehr, ja das ver - mißt man

sehr, ja sehr vermißt man das, sag' ich ohn' Un - ter - laß.

(Textunterlegung von Fritz Jöd)

Frohsinn

Zu 3 Stimmen

Caldara

Kommt mit zum hel - len Mai - en - schein und laßt uns

heu - te mit - ein - an - der froh sein! Kommt mit zum hel

len Mai - enschein und laßt uns froh sein! Kommt mit

zum hel - len Mai - enschein und laßt uns heu - te froh sein!

(Textunterlegung von Fritz Jöd)

67

Herr, so du uns hilfst

Zu 3 Stimmen · Caldara

Herr, so du uns hilfst, hilf in uns dir, daß wir groß in dir wer-den, Herr, und nicht su-chen Hil-fe au - ßer dir.

(Textunterlegung von Fritz Jöde)

Wider das Wort

Zu 3 Stimmen · Caldara

Hilf, Herr, hilf, die Zun-gen re-den falsch un - nüt-ze Wor-te; un - hei - lig und heuch-le-risch ist, was sie be-wegt, und nie-mand er-kennt den Weg des Herrn.

(Textunterlegung von Fritz Jöde)

Also singet heut!

Zu 3 Stimmen · Caldara

Al - so singet heut zur lie - ben schönen Som-mer-zeit.

(Textunterlegung von Fritz Jöde)

Die Drei

Zu 3 Stimmen · Caldara

Mein Glau-ben wan-dert weit, wo ich auch geh' und wo ich ste - he. Mein Lie-ben zieht mit ihm, dran ich ver-ge - he. Mein Hof-fen nur mir bleibt, zu dem ich fle - he.

(Textunterlegung von Fritz Jöde)

68

Warum

Zu 3 Stimmen

Caldara

1.
War - um,	war - um willst du dich sor - gen? Sieh auf den Herrn

und bau - e auf ihn.	2. Warum, warum willst du dich sor - gen?

3. Sieh auf den Herrn und bau - e	auf ihn.	War - um willst du

dich sor - gen?	Sieh auf den Herrn ___ und bau - e	auf ihn.

(Textunterlegung von Fritz Jöde)

Trink deinen Trank

Zu 4 Stimmen

Caldara

1.
Trink dei - nen Trank und grüß den Gott der Lie - be,	2. trink dei -

nen Trank und grüß den Gott der Lie - be.	3. Tra la la la, tra

la	la la la, tra	la	la la la la,	4. wer fröh - lich trinkt,

lebt lan - - - - ge,	tra la la la la.

(Textunterlegung von Fritz Jöde)

Liebe den, der liebt

Zu 3 Stimmen

Caldara

1.
Ich sa - ge, lie - be den, der liebt und freu ___

___ dich mit ihm! Ja, ___	2. lie - be den, der ___

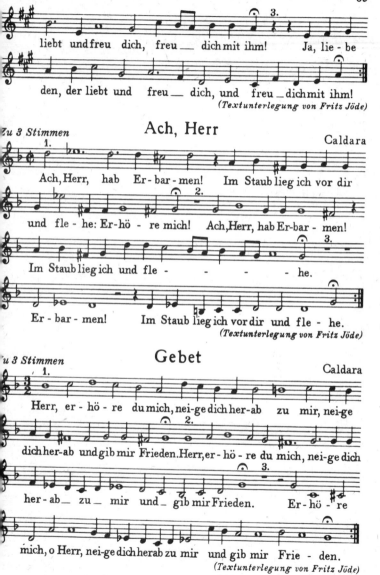

liebt und freu dich, freu _ dich mit ihm! Ja, lie - be

den, der liebt und freu _ dich, und freu _ dich mit ihm!

(Textunterlegung von Fritz Jöde)

Ach, Herr

Zu 3 Stimmen

Caldara

1.

Ach, Herr, hab Er - bar - men! Im Staub lieg ich vor dir

und fle - he: Er - hö - re mich! Ach, Herr, hab Er - bar - men!

Im Staub lieg ich und fle - - - - he.

Er - bar - men! Im Staub lieg ich vor dir und fle - he.

(Textunterlegung von Fritz Jöde)

Gebet

Zu 3 Stimmen

Caldara

1.

Herr, er - hö - re du mich, nei - ge dich her - ab zu mir, nei - ge

dich her - ab und gib mir Frieden. Herr, er - hö - re du mich, nei - ge dich

her - ab _ zu _ mir und _ gib mir Frieden. Er - hö - re

mich, o Herr, nei - ge dich herab zu mir und gib mir Frie - den.

(Textunterlegung von Fritz Jöde)

Bitte

Zu 4 Stimmen

Caldara

Nei - ge dein Ohr zu mir, mein Lieb, und ver-nimm mein Wort, und vernimm mein Wort und er-hö - re. Nei - ge dein Ohr zu mir, mein Lieb, und ver-nimm mein Wort und er-hö - re. Nei - ge dein Ohr zu mir. Nei - ge dein Ohr zu mir, mein Lieb, und vernimm mein Wort. Nei - ge dein Ohr zu mir. Nei - ge dein Ohr zu mir, mein Lieb.

(Textunterlegung von Fritz Jöde)

Wer wird bestehn?

Zu 3 Stimmen

Caldara

Wer wird bestehn, wenn du, Herr, willst uns-re Sün - den zu-mes-sen? Wer wird bestehn, wenn du willst uns-re Sün-den zu-mes-sen? Wer wird bestehn vor dir, un-ser Va - ter?

(Textunterlegung von Fritz Jöde)

Danklied

Zu 3 Stimmen

Caldara

1. Froh-lok - ket all' mit lau - tem Schall und Wi - der-hall

das Danklied unserm Her-ren. Denn der Herr ist groß und ge -

2. wal - tig, und al - le sei - ne Gü - te währet e - wig-lich.

(Textunterlegung von Fritz Jöde)

Einbildung

Zu 3 Stimmen

Caldara

1. Denk ich an dich, mein Schatz, so mein ich, so mein ich,

2. so mein ich, so mein ich, ich wär bei dir, ja, ja, ja,

so mein ich, so mein ich, so mein ich, so mein

3. ich, ich wär bei dir, denk ich an dich, mein Schatz, so mein ich,

so mein ich, so mein ich, ich wär bei dir, bei dir.

(Textunterlegung von Fritz Jöde)

72

So spricht der Herr

Zu 3 Stimmen

Caldara

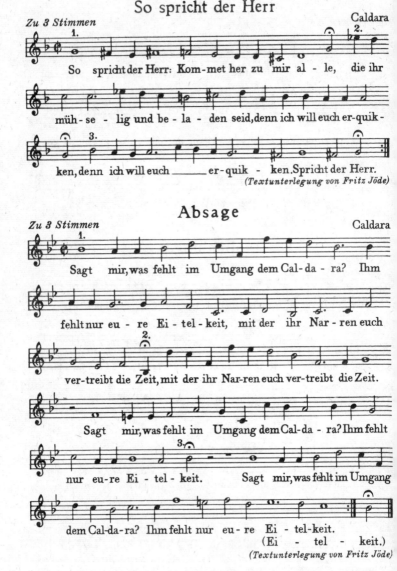

So spricht der Herr: Kom-met her zu mir al - le, die ihr

müh - se - lig und be - la - den seid, denn ich will euch er-quik-

ken, denn ich will euch _____ er-quik - ken. Spricht der Herr.

(Textunterlegung von Fritz Jöde)

Absage

Zu 3 Stimmen

Caldara

Sagt mir, was fehlt im Umgang dem Cal-da - ra? Ihm

fehlt nur eu - re Ei - tel - keit, mit der ihr Nar - ren euch

ver-treibt die Zeit, mit der ihr Nar-ren euch ver-treibt die Zeit.

Sagt mir, was fehlt im Umgang dem Cal-da - ra? Ihm fehlt

nur eu-re Ei - tel - keit. Sagt mir, was fehlt im Umgang

dem Cal-da-ra? Ihm fehlt nur eu - re Ei - tel-keit.

(Ei - tel - keit.)

(Textunterlegung von Fritz Jöde)

Geduld

Zu 3 Stimmen

Caldara

1. Ge - dul - dig will ich sein, wie lang' auch währt die — Pein,
nie will ich kla - - gen. **2.** Ge - dul - dig will
ich sein, wie lang' auch währt die — Pein, nie will
ich kla - gen. **3.** Ge - dul - dig will ich sein, wie
lang' auch — währt die Pein, nie will ich kla - gen.

(Textunterlegung von Fritz Jöde)

Heilig

Zu 3 Stimmen

Caldara

1. Hei - lig, hei - lig ist Gott _____ der Herr, unser Va -
- ter. **2.** Hei - lig, hei - lig ist Gott — der Herr, un - ser Va -
- - ter. **3.** Hei - lig, hei - lig ist Gott _____ der Herr.

(Textunterlegung von Fritz Jöde)

74

Der Herr ist groß

Zu 3 Stimmen

Caldara

Ein Tag ruft's dem an-dern zu, und ei - - ne Nacht verkün-

det's der an-dern: Der Herr ist groß und gna - denreich und al -

le Him-mel un-ter ihm. Al-le-lu-ja, Al-le - lu-ja,

Al-le - lu-ja. Und al-le Him-mel unter ihm, Al-le - lu - ja!

(Textunterlegung von Fritz Jöde)

Zum Tanz

Zu 3 Stimmen

Caldara

Mit uns sprin-get, mit uns singt, daß es im - mer schö-

ner klingt. La la la la la la la, la la la la la la la la

la. La la la, la la la, la la la la la la.

(Textunterlegung von Fritz Jöde)

Die heil'gen drei König

Zu 3 Stimmen

Caldara

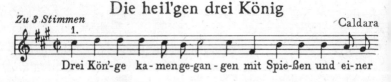

Drei Kön'-ge ka-men ge-gan - gen mit Spie-ßen und ei - ner

lan - gen Stan - gen, sie gingen zum Kin-de-lein im __

Stall, __ das uns er - lö - set all, sie brachten ihm Gold

und Myrrhen fein und spra-chen: Es soll un-ser Hei-land sein.

(Textunterlegung von Fritz Jöde)

An Weihnachten

Zu 4 Stimmen

Caldara

Er - he - bet eu - re Stim - men __ zu __ dem __ Herrn,

der euch den Hei - - - - land gab! Dan - ket

ihm, er - he - bet eu - re Stim - - - men

zu dem Herrn, der euch den Hei - land __ gab!

Er - he - bet eu - re Stim - men __ zu dem Herrn! Er -

he - bet eu - re Stimmen und dan-ket ihm, und dankt dem Herrn!

(Textunterlegung von Fritz Jöde)

Herr Gott

Zu 7 Stimmen

Johann Sebastian Bach
(1685–1750)

Herr Gott, in E-wig-keit will ich dir sin — — gen,
(Herr Gott)

sin — gen, Herr Gott, in E-wigkeit, sin — (-gen.)

— — gen, sin — gen.

*Dazu
Basso ostinato:*

(Textunterlegung von Fritz Jöde)

Pleni sunt cœli

*Zu 4 Stimmen
in der Quint*

J. S. Bach

Ple — ni sunt cœ-li et ter — — —

ra glo-ri-a tu — a, glo-ri-a tu — a, glo-ri-a
(glo — ri-a)

tu — — — a. Ple — — ni sunt cœ-li et

ter — — — — — ra glo-ri-a

tu — a, glo — — — — — ri —

a, glo — ri — a.

Einsätze

(Himmel und Erde sind deines Ruhmes voll.)

(Textunterlegung von Fritz Jöde)

Anhang

MISSA ad FUGAM
in perpetuo Canone, in G
a Quattro Voci, da Capella

DI GIOVANNI PIERLUIGI
DA PALESTRINA
Scuola Romana, 1555.

Missa ad Fugam
in perpetuo Canone

Palestrina

(Herr! erbarme dich unser. Christus! erbarme dich unser. Herr! erbarme dich unser.)

Gloria in excelsis Deo

1.(A) 2.(S) Et in ter-ra pax ho-mi-ni-bus bo-næ vo-lun-ta - tis. Be-ne-di - ci-mus te. Glo- ri- fi - ca - - - mus te. Propter magnam glo-ri-am tu - am. Do - mine De - us, Rex cœ-le - stis, De - us Pa - ter o - o - mni - - po-tens.

1.(B) 2.(T) Bo - næ vo lun-ta - tis. Lau-da - mus te. Ad - o - ra-mus te. Glo- ri - fi - ca - mus te. Gra-ti - as a - gi-mus ti - bi. Do - mi-ne De - us, Rex cœ-le - stis, De - us Pa - ter o - mni - po - tens. Do-mi - ne fi-li u - ni-ge-ni-

*) Ein eingeklammertes Kreuz gilt stets nur für die Stimme, die darüber vermerkt ist.

Einsätze

*Ehre sei Gott in der Höhe, und auf Erden Frieden den Menschen, welche guten Willens sind.
Wir loben dich, wir preisen dich, wir beten dich an, wir verherrlichen dich. Dank sei dir
ob deiner großen Herrlichkeit, Herr, unser Gott, himmlischer König, allmächtiger Vater,
Herr, eingeborener Sohn, Jesus Christus, Lamm Gottes, Sohn des Vaters, der du trägst die
Sünde der Welt, nimm an unser Flehen, der du sitzest zur Rechten des Vaters, erbarme
dich unser. Denn du allein bist heilig, du allein der Herr, du allein der Höchste, Jesus
Christus, mit dem Heiligen Geiste in der Herrlichkeit Gottes des Vaters. Amen.)*

82

83

no - bis sub Pon-ti - o Pi-la - - - -

8 pro no - bis sub Pon-ti - o Pi-

to, et re-sur-re - xit ter-ti - a di - e se-

8 la - to, pas - sus et se-pul-tus est,

cundum scriptu-ras,

8 et a-scendit in cœ-lum, se - det ad dex-te - ram

et i - terum ven-tu-rus est cum glo - ri -

8 Pa - - - tris,

a ju - di-ca - re vi-vos et mor - tu - os, cu-jus

8 et mor - tu-os, cu-jus

reg - ni non e - rit fi - - nis, et in Spi-ri-

8 reg - ni non e - rit fi - - nis,

86

(Ich glaube an einen Gott, allmächtigen Vater, Schöpfer des Himmels und der Erde, alles
Sichtbaren und Unsichtbaren; und an den Herrn Jesum Christum, Gottes eingeborenen Sohn,
vom Vater stammend vor allen Zeiten, Gott von Gott, Licht vom Licht, wahrer Gott vom wah-
ren Gotte, gezeugt, nicht erschaffen, gleichen Wesens mit dem Vater, durch den alles erschaffen worden ist; der für uns Menschen und zu unserem Heile herniederstieg vom
Himmel, empfangen vom heiligen Geiste, geboren aus der Jungfrau Maria und Mensch
geworden; der gekreuzigt wurde für uns unter Pontius Pilatus, litt und begraben
ward; der wieder auferstand am dritten Tage, wie geschrieben steht, und aufgefah-

*ren ist in den Himmel, wo er sitzet zur Rechten des Vaters, der wiederkommen wird in Herr-
lichkeit zu richten die Lebendigen und die Toten, dessen Reich ohne Ende sein wird. Ich glaube an den heiligen Geist, den Herrn und Lebensspender, der dem Vater und Sohne entsprossen,
zugleich mit dem Vater und Sohne angebetet und verherrlicht wird, und der sich kundgetan durch die Propheten. Ich glaube an eine heilige katholische und apostolische Kirche.
Bekenne eine Taufe zur Vergebung der Sünden und hoffe auf die Auferstehung von den Toten und ein ewiges Leben. Amen!)*

88

*) Bei dieser Fermate schließen Alt und Tenor.

-sis, in ex - - cel - - sis,

san - na in ex-cel - - sis, in ex - cel -

ho-san - na in ex-cel - sis, ho-san - na

sis, in ex - cel - sis, in ex -

in ex - cel - sis. *Einsätze*

-cel - - sis.

(-sis.)

(Heilig ist der Herr Gott Zebaoth. Himmel und Erde sind deines Ruhmes voll. Hosianna in der Höhe!)

Zu 3 Stimmen

Benedictus

Be - ne - di - ctus qui ve -

- nit in

no - mi - ne Do - - mi-ni,

in no-mi - ne Do -

mi - ni, Do - - mi - ni. *Einsätze*

(Gelobt sei, der da kommt im Namen des Herrn.)

Agnus Dei

91

(Lamm Gottes, das du trägst die Sünde der Welt, erbarme dich unser! Gib uns Frieden!)

2.
Vom Spätbarock
bis zur Klassik

95

Ach, Herr, strafe mich nicht

Georg Philipp Telemann
(1681-1767)

Zu 2 Stimmen

Ach, Herr, stra-fe mich nicht in dei-nem Zorn, —in

dei - nem Zorn, Herr, — und züch-ti-ge mich nicht in

dei - nem Grimm, ach, Herr, stra-fe mich nicht in dei-nem

Zorn, — und züch-ti - ge — mich nicht in dei - nem

Grimm, in dei - nem Grimm, in dei - nem Grimm.

Herr, wie lange

Telemann

Zu 2 Stimmen

Herr, wie lan-ge — willst du — mein so gar ver-ges-sen,

wie — lan - - - ge ver-bir - gest du dein

Ant - litz vor mir, Herr, Herr, wie lan - ge, wie

lan - ge ver-birgest du, Herr, dein Ant - litz —

vor mir, - Herr, — wie lan - ge, wie lan - ge!

96

Hilf mir, Gott

Zu 4 Stimmen

Telemann

Hilf _____ mir, Gott, _____ durch dei - nen
Na - - - - men, dei-nen Na - men
und schaf - - fe mir Recht _____ durch
dei - ne Ge - walt, _____ und schaf-fe mir Recht _____ durch
dei - ne Ge - walt, und schaf - fe mir Recht _____ durch dei - ne Ge -
walt, _____ durch dei - ne Ge - walt, _____ durch dei - ne Ge - walt.

Wie der Hirsch schreiet

Zu 3 Stimmen

Telemann

Wie der Hirsch schrei - et nach frischem Was - ser,
so schrei - et meine See - le, Gott, nach dir, Gott, nach
dir, mei-ne See - - le, Gott, - nach dir, Gott, _____ nach
dir, _____ Gott, _____ nach dir, nach dir, Gott, _____ nach dir.

Ich will den Herrn loben

Zu 3 Stimmen — Telemann

Ich will den Herrn lo - - - - - ben al - le Zeit, al - le Zeit, sein Lob soll immerdar in mei - nem Mun-de sein, in meinem Mun - de, sein Lob, sein Lob soll im - mer - dar in mei-nem Mun - de sein, in meinem Munde sein, in meinem Mun - de sein.

Gott ist unsre Zuversicht

Zu 4 Stimmen — Telemann

Gott ist unsre Zuver-sicht und Stär - ke, und Stär - - ke, Stär - ke, und ist Hül-fe in den gro - ßen Nö-ten, die uns trof - - fen ha - ben, in den gro-ßen Nö-ten, die uns troffen ha - ben, die uns trof-fen ha - ben, troffen ha - ben, die uns troffen ha - ben

Ich will den Herrn loben

Telemann

Zu 3 Stimmen

Ich will den Herrn lo-ben, so lan-ge ich le - - - - - - - - - - - - - - - - - - - be, le - be, so lan - ge ich le - be, und meinem Gott lob-sin - gen, weil ich hie bin, mei-nem Gott lob-sin-gen, weil ich hie bin, weil ich hie bin, meinem Gott lob - sin - gen, weil ich hie bin, hie bin, weil ich hie bin.

Anmut

Padre Martin
(1706-1784)

Zu 2 Stimmen

An-mut und ed - ler An - stand er-fül - len mir die Sin - ne, in Lie-bes-

ban - den lieg ich, lieg ich ge - fes - selt für

im - mer, ge - fes - - selt für im - mer.

An-mut und ed - ler Anstand er - fül-len mir die

Sin - ne, in Lie - bes - ban - den lieg ich, ge -

fes - selt für im - mer, ge - fes - selt für im - mer.
(im - - mer.)

(Textunterlegung von Fritz Jöde)

Das Echo

Zu 6 Stimmen

Martini

Hei, wie im grü-nen Wald das E - cho schallt! Hört ihr's

klin-gen? Tra-la-la - la - la - la tra-la-la ra-la - la.

(Textunterlegung von Fritz Jöde)

Das Echo

Zu 3 Stimmen

Martini

Hal - lo, im grü - nen Wald der E - cho - ruf er - schallt, und

ü - ber - all, all - ü - ber - all durch Berg und Tal es wi - der -

hallt. Hal - lo, im grü - nen Wald der E - cho - ruf, der

E - cho - ruf er - schallt, _____ im grü - nen Wald, im

grü - nen Wald, hal - lo! Im grü - nen Wald der Ruf er -

(Wald)

schallt, im grü - nen Wald der Ruf er - schallt, hal - lo!

(Textunterlegung von Fritz Jöde)

Liebliche Schwestern, eilet!

Zu 2 Stimmen

Martini

Lieb - li - che Schwe - stern, ei - let, ei - let her -

bei zum Tan - ze, laßt al - le Sor - gen fah - ren,

schlingt auch in bun - tem Kran - ze Paar __ zu _

Paa - ren! Lieb-li-che Schwestern, ei - let,

laßt al - le Sor-gen fah-ren, schlingt auch in bun - tem

Kran - ze Paar zu Paa - ren.
(Paar.)

(Textunterlegung von Fritz Jöde)

Bibitores

Zu 3 Stimmen

Martini

1.
Bi - bi - to - res ex - ul - te - mus,

ex - ul - te - mus, Vi-num bo - num im - bi -

be-mus cum bi - ba-mus, ad - æ - quan - tes con-dem-

ne - - - - - - - mus

3.
in e - ter-na tri - sti - ti-a. A - - -

- men, A - men, A - men, A - men.
(-men.)

hr Trinker, frohlocket und trinkt mit mir den guten Wein, der ewige Traurigkeit zu bannen
ermag!)

Zum Tanz

Zu 3 Stimmen

Martini

Her-bei, herbei, herbei, zum fröh-lichen Tan-ze herbei! Lasset uns
springen, las-set uns singen und den Rei - hen schlingen, und den
Rei - hen schlingen, laßt uns springen, laßt uns singen und den Rei-hen
schlingen, und den Rei-hen schlingen! So kommt doch, so kommt doch!

(Textunterlegung von Fritz Jöde)

Anfang und Ende

Zu 3 Stimmen

Martini

Wer gut sein Werk beginnt, ei, der ist noch nicht zu lo -
ben, doch wer es führt ans gu - te En-de, gu-te En-de, gu-te
En-de, erst der ist — lo - bens - wert. Der al - lein ist
lo - benswert, der's führt ans gu - te En - de, ans gu - te
En-de, ans gu - - - - - te — En -
de. Der al - lein ist lo - benswert, der's führt ans gu - te
En - de, ans gu - te En - de, ans gu - te, gu - te — En-de.

(Textunterlegung von Fritz Jöde)

103

Epitaph

Boyce (1710-1779)

Zu 3 Stimmen

Er - blü - hen - de Ju - gend lie - get hier, hin -
weg ge - rafft aus al - ler Blü - ten - zier,
See - le und Leib mit al - ler Pracht ge - stürzt in
dunk - le To - des - nacht. Lie - be war der
Schön-heit Not, doch al - le Lie - be zer-brach der Tod.

(Übersetzung von Fritz Jöde)

Aus dem 137. Psalm

Philip Hayes (1738-1797)

Zu 4 Stimmen

An den Was - sern Ba -
- bylons sa-ßen wir und wein-ten, und wein-ten, und
wein - ten, wenn wir ge - dach-ten dein, ge - dach-ten
dein, o Zi - on. Un - se-re Har-fen
hin-gen wir an die Weiden, die dort drü-ben sind.

(Übersetzung von Fritz Jöde)

Fließe sanft

Zu 3 Stimmen   Hayes

Flie - ße sanft, du lieb - li - cher Bach, sieh, es
(3: al - les

strahlt dein Weg dir Schön - heit nach.
strahlt dir nach) (2: dir nach.)

(Textunterlegung von Fritz Jöde)

Halleluja

Zu 4 Stimmen   Hayes

Hal - le - lu - ja, hal - le - lu - ja, hal -
le - lu - ja! Hal - le - lu - ja, hal - le - lu -
ja, hal - le - lu - ja! Hal - le - lu - ja, hal - le - lu -
ja, hal - le - lu - ja, — hal - le - lu - ja! Hal - le - lu -
ja, hal - le - lu - ja, hal - le - lu - ja, hal - le - lu - ja!

Halleluja

Zu 4 Stimmen   Hayes

Hal - le - lu - ja, hal - le - lu - ja, hal - - le - lu -
ja, hal - - le - lu - ja, hal - le - lu - ja,
hal - le - lu - ja, hal - le - lu - ja, hal - le - lu - ja,

105

hal - le - lu - ja, hal - le - lu - ja, hal - le - lu - ja, hal - le -

lu - ja, hal - le - lu - ja, hal - le - lu - ja, hal - le -

lu - ja, hal - le - lu - ja, hal - le - lu - ja, hal - le - lu - ja,

hal - le - lu - ja, hal - le - lu - ja, hal - le - lu - ja.

Herr Gott!

Zu 3 Stimmen

Hayes

Herr Gott, du hast ver - sto - ßen uns, __ ge - straft mit deinem

Zorn, ge - straft mit deinem Zorn, ge - straft mit dei - nem

Zorn, ver - sagt uns dei - ne Gna - de, ver - sagt uns dei - ne __

Gna - de, ver - sagt uns dei - ne __ Gna - de, ver - sagt uns

dei - ne __ Gna - de. O kehr dich wie - der zu

uns, Herr Gott, o kehr dich wieder zu uns, o __ kehr dich wieder zu

uns, o kehr __ dich wie - der zu uns, __ Herr Gott!

(Textunterlegung von Fritz Jöde)

Ubi sunt gaudia

Hayes

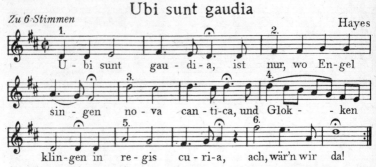

Zu 6 Stimmen

U - bi sunt gau - di - a, ist nur, wo En-gel

sin - gen no - va can - ti - ca, und Glok - - ken

klin-gen in re - gis cu - ri - a, ach, wär'n wir da!

(Wo Freude herrscht, ist nur, wo die Engel neue Lieder singen und Glocken klingen im himmlischen Saal.)
(Übersetzung von Fritz Jöde)

Danket unserm Herren

Samuel Webbe
(1740-1816)

Zu 3 Stimmen

Dan - ket un-serm Her - ren, denn er ist freundlich,
(Dankt!) (-ket!)

_____ und sei - ne Gü - te wäh-ret e - wig-lich.

(Textunterlegung von Fritz Jöde)

Dir, Herr, sei Lob!

Webbe

Zu 3 Stimmen

Dir, Herr, sei Lob, _____ sei Lob und Eh - re von E - wig-

keit, _____ von E-wig-keit zu E - wig keit! Es _ lo-ben dich die

Himmel, und al - - le Erden singen, sin-gen, sin-gen und
(dei - nen _

prei-sen deinen Na - - men, deinen Na - men.
Na - men.) (Na - men.)

(Textunterlegung von Fritz Jöde)

Ich will dich loben

Zu 3 Stimmen

Webbe

Ich will dich loben, mein Gott und Va - ter, und dei-nen heil'gen Na - men prei - sen. Ich will dich lo-ben, mein Gott und Va-ter, und dei-nen Namen prei-sen, und dei-nen Na-men, und dei-nen heil'-gen Na - men prei-sen.
(Namen prei - sen.) (Namen prei-sen.)

(Textunterlegung von Fritz Jöde)

Dank

Zu 4 Stimmen

Webbe

Dank, Dank sei Gott, dem Herrn der Welt, der sitzt auf höch - stem Thron! Dank, Dank sei Gott dem Herrn, dem Herrn der Welt, der sitzt auf höchstem, höchstem Thron!

(Textunterlegung von Fritz Jöde)

Wer darf dich nennen?

Zu 3 Stimmen in der
Unterquart und Unteroktave

Webbe

Wer darf dich nen-nen, wer dich preisen, Herr, wer darf dich nen-nen, wer dich preisen, Herr, und dich lo-ben, mein Gott, mein Gott, mein Gott?
(Gott?)

Einsätze

(Übersetzung von Fritz Jöde)

108

Alleluja

I. S. Smith
(1750–1826)

Zu 2 Stimmen in verschiedenem Tempo mit freiem Baß

(S) Al - le-lu - ja, Al - - - - le-lu-
(A) Al - le-lu - ja, Al - le - lu - ja, Al-le-lu-ja,

Al-le-lu-ja, Alle-lu-ja, Al - le-lu - ja.

- - - - - - le-lu - ja!

Dazu singt der Baß

Denn der Va-ter re - giert all-mäch - tig.

*) Alt halb so schnell eine Oktave tiefer; **) Wdhg. nur Alt, ***) Wdhg. nur Sopran.

Alle Welt

Zu 3 Stimmen in der Unterquint

Smith

Al - le Welt lo - - be den Herrn, lo-
(Her - ren.)

- be den Herrn und prei - se sei - nen hei -

- - li - gen Na - men.

Einsätze

(Übersetzung von Fritz Jöde)

Aufhebet eure Augen

Zu 3 Stimmen in der Unterquart und Unteroktave

Smith

Auf - (he-bet eu - re Au - gen zu dem Herrn, zu eu-rem Gott! Se -
Pracht.)

- het, der Herr, eu - er Gott, er wird kommen, der Herr, eu - er

Gott, er kommt in sei-ner

Einsätze

(Übersetzung von Fritz Jöde)

Im grünen Wald

Ungenannter Meister
des 18. Jahrhunderts

Zu 3 Stimmen

Im__ grü - nen_Wald das E - cho schallt, daß__
laut es wi - der - hallt. Her - bei, kommt
(hallt.)
all her - bei, her - bei, her - bei, her - bei.

(Textunterlegung von Fritz Jöde)

Über Nacht

Ungenannter Meister
des 18. Jahrhunderts

Zu 3 Stimmen

Ü - ber Nacht, ü - ber Nacht, wenn die Lie - be in dunk - ler Kam -
mer er - wacht und he - bet lang - sam ih - re zar - ten
Schwin - gen, da fängt es heim - lich lei - se an__ zu sin - gen.

(Textunterlegung von Fritz Jöde)

Willst du immer weiter schweifen

Joseph Haydn
(1732-1809)

Zu 5 Stimmen

Willst du im - mer wei - ter schweifen? Sieh, das Gu - te
liegt so nah!__ Ler - ne nur das Glück er - grei - fen, denn das
Glück ist im - mer da, im - mer, im - mer da.

Trost

Zu 3 Stimmen

Haydn

Des Lebens tief-stes Weh zer-fließt, zer-fließt
(Ja Lust)

in deiner Brust, bleibst du dir sel-ber treu, zu Träu-men

sü-ßer Lust! Des Le-bens tief-stes Weh zerfließt zu

Lust, zer-fließt in dir zu sü-ßer Lust!

Wein, Bad und Liebe

Zu 4 Stimmen

Haydn

Wein, Bad und Lie-be soll dem Le-ben schäd-lich

sein; doch wird das Le-ben frisch durch Liebe, Bad und Wein, durch

Lie-be, Bad und Wein. Doch wird das Leben frisch durch Lie-be,

Bad und Wein, ja, Lie-be, ja, Lie-be, Bad und Wein, und Wein.

Weisung

*Zu 2 Stimmen
in der Unterquint*

Haydn

Es ist um-sonst, daß dir das Glück ge-wo-gen ist, wenn

du nicht selbst erkennst, wie sehr du glücklich bist. *Einsätze*

Ja und Nein

Zu 3 Stimmen — Haydn

1. Es sa-gen Ja die Blik-ke, die Wor-te sa-gen
2. Nein! Ja. Nein: Dies pflegt bei Mädchen im-mer ver-
(Die Wor-te sa-gen nein.)
3. mischt zu sein, dies pflegt, dies pflegt ver-mischt zu sein.

An Marull

Zu 5 Stimmen — Haydn

1. Groß willst du und auch ar-tig_sein? Ma-rull, Ma-
rull, was ar-tig ist, ist klein. Groß willst du
2. und_auch_ar-tig sein? Marull, Ma-rull, was
ar-tig_ist,_was ar-tig ist,_ist_klein. Groß willst
3. du und auch ar-tig sein? Ma-rull, Ma-rull, was
ar-tig ist, ist klein, ist klein. Groß willst du und auch ar-tig
4. sein? Marull, Marull, was ar-tig_ist,
5. ar-tig_ist, ar-tig_ist, artig ist, ist klein.

Zuruf

Zu 3 Stimmen

Haydn

Haschet, ha-schet, hascht die Freu - de, wo sie weilt,

haschet, haschet, denn schnell ist ihr Fit-tich! Haschet, haschet,

hascht die Freu-de, wo sie weilt, haschet, denn schnell ist ihr Fittich, ihr

Fit-tich, ihr Fittich, denn schnell, denn schnell ist ihr Fit-tich,

schnell ist ihr Fit - tich, hascht, denn schnell ent-ei-let ihr Fit-tich!

Höre, Mädchen

„Die Mutter an der Wiege singt:"
Zu 3 Stimmen

Haydn

Hö - re, hö - re, Mäd-chen, mei-ne Bit - te:

Heil'- ge Tu - gend lei - te dich, lei-te deines Lebens

Schrit-te, lei-te deines Lebens Schrit-te, o hö - re,

hö - re, hö - re mich! Hö-re, hö - - re meine

Bit - te: Heil' - ge Tu - gend lei-te

dich, lei-te dei-nes Le-bens Schrit - te, ___ Mäd - chen,

Mäd - chen, hö - re, hö - re: Heil'- ge Tu-gend
(*Schluß*: hö - re mich!)

3.
lei - te dich, ___ lei-te deines Lebens Schrit-te,

heil'- ge Tu - gend lei - te ___ dich, lei-te deines

Le-bens Schrit-te, lei-te dei-nes Le-bens Schrit-te, o

lie - bes ___ Mäd - chen, hö - re mich!

Zu 2 Stimmen
in der Unterquint

Flucht der Zeit

Haydn

1.(S) 2.(A)
Kann nichts dich, Flie-hen-de, ver - wei-len, dich,

mei-nes Le-bens gold-ne, goldne Zeit? Ver - ge-bens, deine
(Zeit?)

Wel - len ___ ei - len hin-ab ins Meer, hin-ab ins

Meer der ___ E - wig-keit. *Einsätze*

Die liebe Maienzeit

Zu 4 Stimmen

Haydn

Die lie - be Mai - enzeit hat Tanz und Spiel be-reit.

Auf, schlingt den muntern Reihn und _ laßt uns fröh-lich _

sein im _ hel - len Mai - en-son-nen - schein.

(Textunterlegung von Fritz Jöde)

Klugheit und Eitelkeit

Zu 6 Stimmen

Haydn

Be - denk, lie-ber Malcher mein, wie oft doch die Brüder dein

Klugheit und Ei - tel-keit in deinem Wort ge - hört, in

dei-nem Wort _ ge - hört, das empört und das stört.

(Textunterlegung von Fritz Jöde)

Drei Dinge

Zu 3 Stimmen

Haydn

Lan-ge lauern und nichts er - wischen, hung-rig sit-zen

an lee-ren Tischen und ver-liebt sein bei lahmen Fü-ßen,

sind drei Din-ge zum Er-schießen! Lan-ge lau - - ern und

nichts er - wi - schen, hungrig sit-zen an _ lee-ren Ti-schen, sind drei

Din-ge zum Er - schießen, sind drei Din - ge zum Er - schie-ßen,

sind _ drei _ Din - ge zum Er - schie-ßen, und ver - liebt sein bei

lah-men Fü - ßen, sind drei Din - ge zum Er - schie-ßen!

Gewißheit und Ungewißheit

Zu 4 Stimmen

Haydn

Ob ich morgen le - ben wer-de, weiß ich frei-lich nicht,

a - ber, wenn ich morgen le - be, daß ich morgen trinken

wer-de, weiß ich ganz ge-wiß, a - ber, wenn ich morgen

le - be, a-ber, wenn ich morgen le-be, daß ich morgen trinken

wer-de, weiß ich ganz _ ge - wiß, weiß ich ganz ge-wiß,

a - ber, wenn ich morgen le - be, daß ich morgen trin-ken

wer - de, weiß ich ganz ge-wiß, ob ich morgen

le-ben werde, ob ich morgen leben werde, weiß ich freilich nicht.

Homo sum

Zu 4 Stimmen

Haydn

1. O woll - te doch der Mensch des Men-schen Feind nicht
sein, — so — wär' das meiste Weh noch un - bekannte
Pein.

2. O — wollte doch der Mensch des Menschen Feind nicht
sein, so — wär' das meiste Weh noch un - bekannte
Pein, — so wär' das meiste Weh — noch un - bekannte

3. Pein, — so wär' das meiste Weh noch un - bekannte
Pein, — so wär' das meiste Weh noch un - bekannte

4. Pein, — so wär' — das mei-ste Weh, —
so wär' das meiste Weh noch un - be-kannte Pein.

Ahnung

Zu 3 Stimmen

Haydn

1. Ver - bor-gen ist das Ziel, das zur Voll - en-dung
führt, doch ah - nend, ah-nend wird's in — treu-er Brust ge-

Liebe

Zu 3 Stimmen　　　　　　　　　　　　　　　　Haydn

Sagt, was schwellt des Liedes Tö - ne, was er - hellt des Lebens

Nacht, flicht zum Gu - ten uns das Schö - ne? Lie - be,

Lie - be, dei - ne Zauber - macht! Sagt, was schwellt des Liedes Töne,

was erhellt des — Le - bens Nacht und flicht, und flicht zum Gu - ten

uns — das Schöne? Lie - be, dei - ne Zaubermacht! Liebe, Liebe,

dei - ne — Zaubermacht, sie — schwel - let des Liedes Tö - ne,

webt uns das Schöne. Lie - be, Lie - be, dei - ne Zaubermacht!

Der freie Mann

Zu 3 Stimmen　　　　　　　　　　　　　　　　Haydn

Wer ist, wer ist ein frei - er Mann? Den Glanz und

Macht nicht fes - seln kann! Der stets nach Wahrheit strebt, nie
(*Schluß*: Wahr - heit

fremdem Willen lebt, der ist ein frei - er Mann, der ist — ein
strebt.)

frei - er Mann, den Glanz und Macht nicht fesseln kann, nicht fesseln

kann, der ist ein freier Mann,_ der ist ein frei - er Mann.

Mißtraun

Zu 5 Stimmen Haydn

1. Wer nim-mer traut, wird leicht be-rückt, wird leicht berückt, wird
leicht be-rückt, wird leicht be - rückt, wer nim-mer traut, wird
leicht, wird leicht be - rückt, wird leicht,_____ wird leicht be -
rückt, wer nim-mer traut, wird leicht be - rückt.

Fester Sinn

Zu 3 Stimmen Haydn

1. Ein ein - zig bö-ses Weib lebt höchstens in der Welt, nur
(Der Fels, an dem die Wut der Wo - gen sich zer-schellt, bist

schlimm, daß je-der seins für die - ses einz'ge hält. Ein
du, o fe-ster Sinn, der treu den Tapfern hält. Der___

ein - zig bö - ses___Weib, ein bö - ses Weib lebt___
Fels, an dem die___Wut der Wo - gen sich zer -

höch - stens, lebt höchstens in der Welt, nur schlimm, daß je - der
schellt, bist du, o fe - ster Sinn, der treu den Tap - fern hält, bist

seins, daß je - der seins für die - ses einz' - ge hält.
du, o fe - ster Sinn, der treu den Tap - fern hält.)

Herr Gänsewitz zu seinem Kammerdiener

Zu 4 Stimmen

Haydn

Be - fehlt doch draußen still zu schweigen, ich muß jetzt meinen Namen schreiben, be-fehlt doch draußen still zu schweigen, ich muß jetzt meinen Namen schreiben, ich muß jetzt meinen, meinen Namen schreiben, schrei-ben, ich muß jetzt meinen Na-, meinen Namen schrei-ben, ich muß jetzt meinen Namen schreiben.

Nachtigallenkanon

Zu 3 Stimmen

Haydn

Al - les schweiget, Nach - ti - gal - len lok-ken mit sü-ßen Me - lo-di - en Tränen ins Au - ge, Schwermut ins Herz, locken mit süßen Me - lo-di - en Tränen ins Au - ge, Schwermut ins Herz.

Domine Deus

Zu 4 Stimmen

Michael Haydn
(1737-1806)

Do - mi-ne De - us sa - lu-tis me - æ in di - e cla-ma - vi et noc-te coram te: in-tret, in-tret o-ra - ti-o me - a in con - spe-ctu tu - o, Domine De - us,

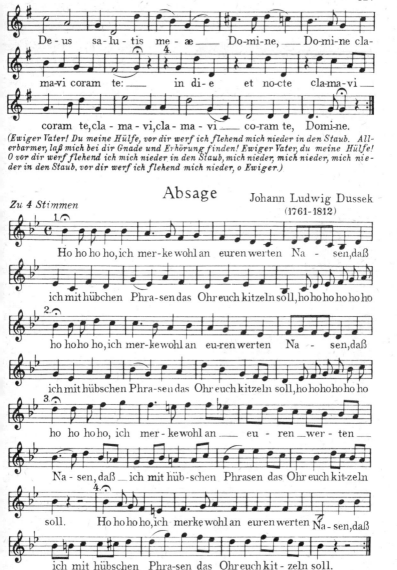

De-us sa-lu-tis me-æ — Do-mi-ne, — Do-mi-ne cla-

ma-vi coram te: — in di-e et no-cte cla-ma-vi —

coram te, cla-ma-vi, cla-ma-vi — co-ram te, Domi-ne.

*(Ewiger Vater! Du meine Hülfe, vor dir werf ich flehend mich nieder in den Staub. All-
erbarmer, laß mich bei dir Gnade und Erhörung finden! Ewiger Vater, du meine Hülfe!
O vor dir werf flehend ich mich nieder in den Staub, mich nieder, mich nieder, mich nieder in den Staub, vor dir werf ich flehend mich nieder, o Ewiger.)*

Absage

Johann Ludwig Dussek
(1761-1812)

Zu 4 Stimmen

Ho ho ho ho, ich mer-ke wohl an euren werten Na - sen, daß

ich mit hübchen Phra-sen das Ohr euch kitzeln soll, ho ho ho ho ho ho

ho ho ho ho, ich mer-ke wohl an eu-ren werten Na - sen, daß

ich mit hübschen Phra-sen das Ohr euch kitzeln soll, ho ho ho ho ho ho

ho ho ho ho, ich mer-ke wohl an — eu - ren — wer - ten —

Na - sen, daß — ich mit hüb-schen Phrasen das Ohr euch kit-zeln

soll. Ho ho ho ho, ich merke wohl an euren werten Na - sen, daß

ich mit hübschen Phra-sen das Ohr euch kit - zeln soll.

Kyrie

Wolfgang Amadeus Mozart
(1756-1791)

(Herr, erbarme dich, Christe, erbarme dich!)

123

Der Wiener Kanon

Zu 4 Stimmen

Mozart

Gehn wir im Prater, gehn wir in d'Hetz, gehn wir zum Kas-perl, zum

Kas-perl, zum Kas-perl. Der Kasperl ist krank, der Bär ist ver reckt, was

tät ma in der Hetz draust, in der Hetz draust, in der Hetz draust? Im

Pra-ter gibt's Gel-sen und Hau-fen voll Dreck, im Pra-ter, im

Pra-ter gibt's Dreck. Der Bär ist ver-reckt, der Kas-perl ist

krank, und im Prater gibt's Haufen voll Dreck, voll Dreck, voll Dreck.

Grechtelts enk

Zu 4 Stimmen

Mozart

Grechtelts enk, grechtelts enk, wir gehn im Pra - ter. Im

Pra-ter? Im Pra-ter? Izt laß nach, i laß mi nöt stim - ma.

Ei beileib. Ei jawohl. Mi bringst nöt aus - si.

Was blauscht der? Was blauscht der? Izt halts Maul, i gib d'ra Tetschen.

Ave Maria

Zu 4 Stimmen

Mozart

1.

A - - ve Ma - ri - a, a - - - ve Ma - ri - a!

2.

A - - ve, A - - ve Ma - ri - a!

3.

A - - ve Ma - ri - a, Ma - ri - a, a -

4.

- ve, a - ve, Ma - ri - a, a - - ve, a - ve!

Lacrimoso

Zu 4 Stimmen

Mozart

1.

(o!) La - cri - mo - - - so so ni
(ren.) Ach, zum Jam - - - mer bin ich er-

2.

o, la - cri - mo - - - so, la - cri-
ko - ren. Ach, zum Jam - - - mer, ach, zum

3.

mo - so so ni - - o, per - du - to, per - du - to
Jammer er - ko - - ren. Auf_im - mer ist_sie_für

4.

I - dol mi - o! La - cri - mo - - - so so ni
mich ver - lo - ren. Ach, zum Jam - - - mer er - ko -

O Herr

Zu 4 Stimmen

Mozart

1.

O Herr, mein Gott, _ich lieg im Staub vor_dir und

fle - - he: er-hö-re mich! O Herr, mein Gott, ich
lieg im Staub vor dir und fle-he: er-hö-re mich! O Herr, mein
Gott, ich lieg im Staub vor dir und fle - he: er-hö-re mich! O
Herr, mein Gott, ich lieg im Staub vor dir: er-hö - - re mich!

(Textunterlegung von Fritz Jöde)

Ein Brief

Zu 4 Stimmen

Mozart

Lie - ber Frei-städtler, lie-ber Gau-li - mau - li, lie - ber
Sta - chelschwein, wo gehn Sie hin, wo gehn Sie hin, wo gehn Sie
hin? Etwa zum Fin-to, o - der zum Scul-tet - ti? Ha, wo-
hin, wo - hin? Zum Scultet - ti, zum Fin-ta, zum Finta, zum Scul-
tet - ti. Ei, zu kein'm von bei-den, ei, zu kein'm von
bei-den, nein, son-dern zum Kit - scha geht der Herr von Lilien-
feld, und nicht der Freistädtler, nein, auch nicht der Gaulimauli,
we-der der Stachelschwein, sondern der Herr von Li-lien-feld.

Die Nachtigall

Zu 3 Stimmen

Mozart

Sie, sie ist da - hin, da - hin, sie, die Sängerin, die Mai-
(hin.)   (da - hin.)

- -en-lie-der tön - te! Sie, die durch ihr Lied den Hain

ver - schön - te, die durch ihr Lied, die durch

ihr Lied den ganzen Hain verschönte, sie ist da - hin, ach, sie ist, sie

ist da-hin! Die Sän-ge - rin, deren Lied durch den Hain er-tön -

te, die Sän-ger in, de-ren Lied durch den Hain er-tön-te,

sie ist da - hin, sie ist da - hin, de - ren Lied den gan-

- zen Hain ver - schön - te, sie ___ ist da-hin, deren Lied den

ganzen Hain verschönte, deren Lied den ganzen Hain, den ganzen Hain

___ verschönte, die den ganzen Hain, die den ganzen Hain, die

___ den ganzen Hain, durch ihr Lied den ganzen Hain verschönte,

sie ist da-hin! Die Sän-ge-rin, sie ist da-hin!
(ist ____ da-)

Zur Totenfeier

Zu 2 Stimmen

Mozart

Se-lig, se-lig, die entschlie-fen in ____ dem Herrn, se-lig,
(se - lig)

die ent-schlie - fen in ____ dem Herrn, in ____ dem Herrn,

denn sie wer - den er-wa - chen, ja, er - wa-chen. Darum, o
(Textunterlegung von Fritz Jöde)

Zum Wein

Zu 3 Stimmen

Mozart

Nichts labt mich mehr als Wein, er schleicht so ____ sacht hin-

ein, er schleicht so sach - te, sach - te hin-ein.

Er netzt, wenn al - les gleich lechzet, die _ trocknen Kehlen al -

lein; läßt, wenn Murr - kopf auch ächzt, läßt er fröhlich mich

sein. Drum schwingt mit mir die Gläser! Stoßt an!

Laßt al-le Sorgen sein! Stoßt an! Wir er - säufen sie im Wein!

128

Morgensang

Zu 6 Stimmen

Mozart

Heil dem Tag, dem die Nacht _ er - lag, der lich - te

Son - nen - schein ___ erwek-ket Flur ___ und Hain.
(Schein)
(Textunterlegung von Fritz Jöde)

Alleluja

Zu 4 Stimmen

Mozart

Al - - - - le - lu - ja, al - - - - -

- - - le - - lu - ja. Al - - -

le - lu - ja, al - le - lu - ja, A - - - men. Al-le-lu-ja.

Caro bell' idol

Zu 3 Stimmen

Mozart

Ca - ro bell' i - dol, i - dol mi - o,
Ach, sü - ßes, teu - res, teu - res Le - ben,

non ti scor-dar, ___ non ti - scordar di me, ah ___
nein, nie ver - giß, ___ nein, nie _ vergiß du mich, ach ___

no, non ti scor-dar ___ di ___ me! ___ Ca-
nie, nein, nie ver-giß ___ du ___ mich! ___ Ach,

- — ro_bell' i - dol mi - o, non ti scor-
_____teu - res,_ teu - res Le - ben, nein, nie ver-

dar, _ non _ ti _ scordar di me, ah no, non ti scor-
giß, _ nein, _ nie _ ver-giß du mich, nein, nie, nein, nie ver-

dar di me. Ten - go, ten - go sem - pre de -
giß du mich! Dir, _ Ge - lieb - te, gilt _ all _ mein

si - o d'es - ser_vi - ci - no, vi - ci - no a
Seh-nen, mein gan - zes Herz schlägt für dich, schlägt für

te, _____ vi - ci - no _ a _____ te, a te.
dich, _____ für dich, nur _ für _ dich, für dich.

Kommt her und singt!
Zu 6 Stimmen (Der Götz=Kanon) Mozart

Kommt her und singt! Hört _ ihr? Hört _ ihr?

Kommt her und singt eins! A-ber singt fein klar und hel-le,

schreit und krächzt nicht wie ein —! Trala-la-la-la-la - la - ri - da,

tra-la - la-la-la-la - la - ri - da. Ei, das klingt ja sehr

schön: Trala-la-la-la-la - la - ri - da, tra-la-la-la-la-la - la - ri - da.

(Textunterlegung von Fritz Jöde)

Am Feuer zu singen

Mozart

Zu 3 Gruppen
von je 4 Stimmen

(S) 1.
Hei - li-ge Flam - me, leucht uns em - por! Heil! Heil!

(A) 1.
Hei - li-ge Flam - me, leucht uns empor! Heil! Heil!

(T) 1.
Hei - li-ge Flam - me, leucht uns em-por! Heil! Heil!

(B) 1.
Hei - li-ge Flam - me, leucht uns empor! Heil! Leucht

3.
Leucht uns empor! Heil! Leucht uns em-por! Heil! Heil!

3.
Leucht uns em-por! Heil! Leucht uns em-por! Heil!

3.
Leucht _____ uns _____ em-por! Heil! Heil!

3.
uns em - por! Heil! Leucht uns empor! Heil! Heil!

(Textunterlegung von Fritz Jöde)

*) Alle Chöre schließen vierstimmig auf die Weise der ersten beiden Taktpaare.

Heiterkeit

Mozart

Zu 3 Stimmen

1. 2. 3.
Hei - ter - keit und leichtes Blut macht _____ ein fro-hes

Herz und guten Mut. Flieht, ihr Sorgen, weit _____ von mir, trübt nicht

mei-nes Her - - - zens____ Se - - - lig - keit!
(Her - - zensSelig-keit, Se - lig-keit!)

Trinkkanon

Zu 4 Stimmen (Ursprünglicher Text: O, du eselhafter Martin) Mozart

1. Freun - de, las-set uns beim Ze-chen wak - ker ei - ne Lan-ze

bre-chen! Es leb' der Wein, die Liebste mein! Drauf leer' sein

Gläs-chen je - der aus. Mit euch ist gar nichts an-zu - fan-gen, **2.**

da sitzt ihr still wie Hopfen - stan-gen. Sie le - be hoch!

So schreiet doch! **3.** Sie le - be hoch! So schreiet doch, so schreiet

doch! Seid ihr wie Stock-fisch denn geworden stumm, seid ihr wie

Stock-fisch denn geworden stumm? So schreit, so schreit,

so schreit, ihr E - sel, doch, seid nicht so dumm! Es

4. leb' die Lie - be und der Wein! Was könnt' auf Er - den

Schönres sein? Vivat, vi-vat, vi-vat, sie le - be hoch!

Zum Wein

Zu 5 Stimmen

Mozart

Hei, wenn die Gläser klin-gen, so laßt uns al - le
fröhlich sein, und laßt uns lu - stig sin-gen, ja sin-gen,
ja lustig sin-gen am Tisch beim kühlen Wein. Ja, laßt uns
lu - stig singen, lustig singen, lustig sin - gen!

(Textunterlegung von Fritz Jöde)

Essen, Trinken

Zu 3 Stimmen

Mozart

Es-sen, Trin-ken, das erhält den Leib; 's ist doch mein liebster
Zeitvertreib, das Es-sen und Trinken. Labt mich Speis' und Trank nicht
mehr, dann a - de! Dann, Welt, gute Nacht! So ein Brätchen, ein Pa-
stetchen, ach, wenn die meinem Gau-men winken, meinem Gaumen
win-ken, dann, dann, dann ist mein Tag vollbracht, mein Tag vollbracht. Ach, und wenn im lieben vollen Gläschen Gram und
Sorgen nieder sin-ken, dann — al - ler Welt dann gu - te Nacht!

133

Gute Nacht!

Zu 4 Stimmen

Mozart

1. Bo - na - nox, bist a rech-ter Ochs; bo-na

2. not-te, lie-be Lot-te; bonne nuit, pfui, pfui, good night, good

3. night, heut müeß ma no weit, gu-te Nacht, gute Nacht, 's wird höchste

4. Zeit, gute Nacht! Schlaf fei g'sund und bleib recht kugel-rund.

Ubi malus cantus

Zu 3 Stimmen

Antonio Salieri
(1759 - 1825)

1. U - bi ma-lus can - tus i - bi ma-la mu - si - ca.

U - bi bo-nus can - tus i - bi bo - na mu - si -

2. ca. Ma-la mu-si-ca, ma - la mu-si-ca,

bo - na, bo - na, bo-na mu - si - ca.

3. Ma-lus cantus, ma-lus cantus,

bo - na, bo - na, bo - na mu - si - ca.

(Wenn der Gesang schlecht ist, dann ist die Musik schlecht. Wenn der Gesang gut ist, dann ist die Musik gut.)

Scherzo

Zu 3 gleichen Stimmen
in eins

Salieri

(T I) sind zum zen La- um zu zu machen.

(T II) ses nons und chen da- klu- te zu machen.

(B) Die- Ka- Scher- und nicht ge Wor- zu machen.

Leu- glau- müß- krit- Scher- La- täu- sehr.

te, ben, ten teln zen chen, schen

die sie be- das und die sich

sind zum zen La- um zu zu machen.

ses nons und chen da- klu- te zu machen.

Die- Ka- Scher- und nicht ge Wor- zu machen.

(Textunterlegung von Fritz Jöde.)

Das Bild

Zu 3 Stimmen

Salieri

Bald seufzt der Mensch un-se- lig; a-ber bald wie-der lacht __ er

fröh-lich; doch so- gleich scheint al- les ver - ge-bens, ist nicht

135

das   dasBild sei-nes   Le-bens?   Ist nicht das   dasBild seines

Lebens,he?   Ah!   Ha ha ha ha ha ha ha ha!

Oh!   Ist nicht das das Bild,   ist nicht das dasBild seines

Lebens,he?   Ah!   Ha ha ha ha ha ha ha ha!

Oh!   Ist nicht das, ist nicht das dasBild seines Lebens,he?
(Übersetzung von Fritz Jöde)

Zu 3 Stimmen

Vivat!

Salieri

Vi - vat,— vi-vat die - sem— Trun-ke, vi - vat,—

vi-vat un - serm Glück! Bes-se - re Gefähr-ten sind nicht auf der

gan - zen—wei-ten Welt.   Vi - vat,— vi-vat!

Vi - vat,— vi-vat!Bes-se - re Ge-fährten sind nicht auf der

gan-zen wei-ten Welt.   Vi-vat!   Vi-vat! Nein,

nein, nein,   nein, auf der gan-zen wei-ten Welt.

Steter Tropfen

Zu 3 Stimmen

Salieri

Ste-ter Trop-fen höhlt den Stein, auch dann, auch dann, wenn er langsam, nur ganz langsam, im-mer ei-ner nach dem an-dern nieder-fällt, ja, er höhlt den Stein, auch dann, auch dann, wenn er langsam, nur ganz langsam, immer ei-ner nach dem andern nie-der-fällt, ja, er höhlt den Stein, auch dann, auch dann, wenn er langsam, nur ganz langsam, immer ei-ner nach dem an-dern fällt.

(*Textunterlegung von Fritz Jöde*)

Kanonen?

Zu 3 Stimmen

Salieri

Die-ses sind hier nicht Ka-no-nen, zu er-schlagen die Schwa-dro-nen, zu er-stür-men die Ba-stio-nen und die Er-de zu er-schüttern; es sind sanf-te Ka-nons, die be-tö-ren, die sie hö-ren, die die Her-zen uns er-freun und un-sern Bund er-neu'n, die die Her-zen uns er-freun und un-sern Bund er-neu'n.

Bum bum bumbumbum bum. Es sind
sanf-te, sanf-te Ka-nons, die be-tö-ren, die sie hö-ren,
die die Her-zen uns er-freun __ und un-sern Bund er-
neu'n, die die Her-zen uns er-freun __ und un-sern __
Bund er-neu'n.

(f) 3.

Bum bum bumbumbum
bum. Es sind sanf-te Ka-nons, die be-tö-ren, die sie
hö-ren, die die Her-zen uns er-freun __ und un-sern Bund er-
neu'n, die die Her-zen uns er-freun __ und un-sern Bund er-neu'n.

(Textunterlegung von Fritz Jöde)

Zu 3 Stimmen **Glückwunsch** Salieri

1.
Heil und Se-gen al-ler-we-gen bis ans En-de dei-ner
Bahn!

2.
Heil und Se-gen al-ler-we-gen bis __ ans
En-de deiner Bahn! Heil und Segen,

3.
Heil und __ Se-gen
al-ler-we-gen bis ans En-de deiner Bahn!

(Textunterlegung von Fritz Jöde)

Das Glockenspiel

Zu 3 Stimmen

Salieri

Uns-re Tischglocke tönt bam bam bam bam bam bam; uns-re Haus-glok-ke tönt bim bim bim bim bim bim bim; und die gro-ße, schwere Kirchenglok-ke tönt mit lau-tem Schlag bum bum, bum bum, bam bam bam bam, uns-re Haus-glok-ke tönt bim bim bim bim bim bim bim, bim bim bim bim bim bim bim, bum bum, uns-re Tischglok-ke tönt bam bam bam bam bam bam.

(*Textunterlegung von Fritz Jöde*)

Herbei, ihr Brüder

Zu 3 Stimmen

Salieri

Her-bei, ihr Brü-der, her-bei, ihr Schwestern, kommt doch her-bei in un-se-ren Kreis, singt ei-nen Ka-non mit al-lem Fleiß! Her-bei, ihr Brü-der, her-bei, ihr

Schwestern, kommt doch her-bei in un-se-ren Kreis, singt einen Kanon, ei-nen Ka - non mit al-lem Fleiß! Herbei, ihr Brü-der, herbei, ihr Schwestern, kommt doch her - bei in un - se-ren Kreis, singt ei-nen Ka-non, ei-nen Ka-non mit al-lem Fleiß!

(Textunterlegung von Fritz Jöde)

An Einen, der den Halt verlor

Zu 3 Stimmen

Salieri

Das Licht ist mir er - lo - schen; ich weiß nicht, wo ich bin. Ich wen - de mich hin - auf, ich wen - de mich hin - ab: Sagt, wo - hin? Sagt, wo - hin? Das Licht ist mir er - lo - schen; ich weiß nicht, wo ich bin. Ich wen - de mich hin - auf, ich wen - de mich hin - ab: Sagt, wo - hin? Sagt, wo - hin? Ach, das Licht ist mir er - lo - schen, sagt, wo - hin? Ich weiß nicht, wo ich bin: Sagt, wo - hin? Sagt, wo - hin?

(Textunterlegung und Übersetzung von Fritz Jöde)

Zu 3 Stimmen

Wer ein Weib freit

Salieri

Wer ein Weib freit, muß es wis - sen, daß er nicht er - ra - ten kann, ob das Weib-chen, das Tur-tel-täub-chen, macht ihn nicht zum ärm - sten _ Mann; ob das Weibchen, das Tur-tel - täubchen, macht ihn nicht zum ärm - sten _ Mann. Ach, der Ar-me, Ar - me, Ar-me! Ach, ach, ach, daß er nicht er - ra - ten kann, ob das Weibchen, das Turtel-täubchen, macht ihn nicht, _ macht ihn nicht zum ärmsten Mann. Ach, der Ar-me, Ar-me, Ar-me, daß er nicht er - ra - ten kann, ach, ach, ach, ach, ach, ach! — ob das Weib-chen, das Turtel - täubchen, macht ihn nicht zum ärmsten Mann.

(Textunterlegung von Fritz Jöde)

Gleichmut

Zu 3 Stimmen

Salieri

Mein Herz faßt kei-nen Kummer, mein Herz faßt kei - ne ___

Pein, hüpft nicht durch al-le Gas-sen, sucht nicht nach Weg und

Stra-ßen, es quä-len kei-ne Sorgen seinen Gleichmut heut' wie

morgen. Mein Herz, es fragt nicht viel, es ist am Ziel.

Faßt keinen Kummer, faßt kei-ne Pein, nein,

nein, nein, nein! Mein Herz, es fragt nicht

viel, es ist am Ziel Faßt keinen Kummer.

faßt kei-ne Pein, nein, nein, nein,

nein! Mein Herz, es fragt nicht viel, es ist am Ziel.

(Textunterlegung von Fritz Jöde)

Freu' dich des Lebens

(Zum Andenken für Herrn Theo Molt von L.v. Beethoven)

Ludwig van Beethoven
(1770 – 1826)

Zu 2 Stimmen

Freu' dich des Le-bens, freu' ___ dich, freu'

___ dich des Le-bens, des Le-bens, des Le - bens.

Das Göttliche

Zu 6 Stimmen

Beethoven

E - - del sei der Mensch, hilf - reich und gut,

ja gut, gut, gut. E - - del sei der

Mensch, hilf - reich und gut, ja gut, ja gut. E -

- del sei der Mensch, hilf - reich und gut, hilfreich und

gut, ja gut, ja gut. E - del _ sei _ der Mensch,

hilf - reich, hilfreich und gut, gut. Hilfreich und gut, ja _

hilfreich und gut. E - del _ sei _ der Mensch,

hilf-reich, hilf-reich, hilfreich und gut, ja _ hilfreich und gut. E -

- del sei der _ Mensch, hilfreich und gut, _ ja gut.

Zum neuen Jahr
(An die Gräfin Erdödy)

Zu 3 Stimmen

Beethoven

Glück, Glück zum neu-en Jahr, zum neuen Jahr, Glück, Glück, Glück,

Glück zum neu - - en Jahr, Glück zum neuen Jahr, Glück, Glück,

Glück, Glück zum neu-en Jahr, Glück, Glück zum neuen Jahr.

Freundschaft

Zu 3 Stimmen Beethoven

Freundschaft ist die Quel - le wahrer Glück-se-ligkeit, Freundschaft,

Freundschaft ist __ die Quel - le wahrer Glückse-ligkeit, Freundschaft,

Freundschaft ist __ die Quel - le wahrer Glück-se-ligkeit.

Ewig Dein

Zu 3 Stimmen Beethoven

E - wig dein, e - wig dein, dein, e-wig

dein, dein, e-wig, e-wig, e - wig dein. E-wig

dein, e - wig dein, dein, e-wig dein, e-wig dein,

e-wig, e - wig dein. E-wig dein, e - wig

dein, e-wig dein, e-wig, e - wig dein.

Es muß sein

(Auf eine Anfrage: „Wenn es sein muß—?!")

Zu 4 Stimmen — Beethoven

Es muß sein, es muß sein, ja
ja ja ja, es muß sein, ja ja ja ja, es
muß sein, ja ja ja ja. Her - aus mit dem
Beu - tel! Her - aus, her-aus! Es muß sein,
ja ja ja ja ja ja ja ja ja ja, es muß sein!

Kühl, nicht lau

(In einem Brief an den Komponisten Friedrich Kuhlau.)

Zu 3 Stimmen — Beethoven

Kühl, nicht lau, nicht lau, kühl, nicht lau, kühl, nicht
lau. Kühl, nicht lau, kühl, nicht lau, nicht
lau. Kühl, nicht lau, kühl, nicht lau, kühl, nicht lau.

Hoffmann und kein Hofmann

Zu 2 Stimmen — Beethoven

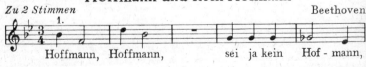

Hoffmann, Hoffmann, sei ja kein Hof - mann,

ja kein Hof-mann. Nein,nein,nein, nein,nein,nein,nein,

ich hei - ße Hoffmann und bin kein Hof - mann.

Falstafferel
(Auf den Geiger Ignaz Schuppanzigh)

Zu 5 Stimmen   Beethoven

Fal - staf - fe - rel, Fal-staf - fe - rel, Fal - staf - fe - rel, Fal -

staf - fe - rel, Fal - staf - - - staf-fe-rel, Fal -

staf - fe - rel, Falstaf-fe-rel, Fal - staf - fe - rel, Falstaf-fe-rel, Fal-

- staff, Fal-staff, Fal-staff, laß dich se - hen!

Fal - staf - fe-rel, Fal - staf - fe - rel, Fal-staf-fe - rel, Fal-

- staff, Fal-staff, Fal-staff, laß dich se - hen!

Fal - staf - fe-rel, Fal-staf-fe-rel, Fal - staff,

Falstaff, Falstaff, laß dich se - hen! Falstaf-ferel, Fal-

- staff, Fal-staff, Fal-staff, laß dich se - hen!

Im Arm der Liebe

Zu 3 Stimmen

Beethoven

Im Arm der Lie-be ruht sich's wohl,
ruht sich's wohl, ruht sich's wohl. Wo es auch
sei, das ist dem Müden ei-ner-lei, das ist dem Mü-den
ei - - - ner-lei. Im Schoß der Er-de
ruht sich's wohl, ruht sich's wohl, ruht sich's wohl!

O Tobias!

(An Tobias Haslinger)

Zu 2 Stimmen
mit einer freien Tenorstimme

Beethoven

O To-bi-as! O To-bi-as Do-minus Has-
-linger o! o!

Dazu singt der Tenor frei:

O To-bi-as! O To-bi-as, To-bi-as, To-
bi-as, To-bi-as, To-bi-as, To-bi-as, To-
bi-as Do-mi-nus Has-lin-ger o! o!

Das Reden
(Aus Charles Neates' Stammbuch)

Zu 3 Stimmen

Beethoven

Re - de, re - de, re - de, re - de, wenn's um ei - nen Freund dir gilt. Re - de, re - de, ei - ner Schö-nen Schö - nes zu sa-gen, Schö - nes zu sa-gen.

Re - de, re - de, re - de, wenn's um ei - nen Freund, um ei - nen Freund dir gilt. Re - de, re - de, ei - ner Schönen Schö - nes zu sa-gen, Schönes, Schö - nes, Schönes zu sa-gen.

Re - de, re - de, re-de, re-de, re-de, re-de, wenn's um ei - nen Freund dir gilt. Re - de, re - de, re-de, re-de, re-de, re-de, ei - ner Schönen Schönes zu sa-gen, Schö - nes zu sa-gen.

148

Signor Abbate
(An Abbé Stadler)

Zu 3 Stimmen

Beethoven

Signor Ab - ba - te! io so - no, io so - no, io so - no, am - ma - la - to. San - to Pad - re! vieni e da - te mi la be - ne - di - zi - o - ne, la be - ne - di - zi - o - ne. Hol' Sie der Teu - fel, wenn Sie nicht kommen, hol' Sie der Teu - fel, wenn Sie nicht kommen! Hol' Sie der Teu - fel.

(Mein Herr Abbate, ich fühl' mich sehr krank. Heiliger Vater, kommt und gebt mir den Segen!)

Kurz ist der Schmerz
(An L. Spohr)

Zu 3 Stimmen

Beethoven

Kurz, kurz, kurz, kurz ist der Schmerz, der Schmerz, e - wig, e - wig ist die Freu - de, ist die Freu - de, ist die Freu - de, e - wig ist die Freu - de.

Kurz, kurz, kurz, kurz ist der Schmerz, der Schmerz, der Schmerz, e - wig, e - wig ist die Freu - de, ist die

Freude, e - - - - - - - wig ist die Freude, e -
- - wig, e - - wig ist die Freude. Kurz, kurz,
kurz, kurz ist der Schmerz, der Schmerz, der Schmerz, e - wig,
e - - wig ist die Freude, e - - - - wig ist die
Freu - - - - - - - de.

Schwenke dich!
(Kanon auf einen, welcher Schwenke geheißen)

Zu 4 Stimmen   Beethoven

Schwen - ke dich! Schwen - ke dich, oh - ne
Schwän - ke, Schwän - ke, Schwän - ke, Schwän - ke, Schwän - ke, Schwän - ke,
Schwän - ke, Schwän - ke, Schwän - ke, Schwän - ke, Schwän - ke, Schwän - ke.
Schwen-ke dich, schwen-ke dich, schwenke dich, schwenke dich,
(Schluß aller Stimmen: Schwenke dich!)
schwen-ke dich, schwen-ke dich, schwen-ke dich, schwen-ke dich!

Glück
Zu 4 Stimmen   (An Frau Del Rio)   Beethoven

Glück fehl' dir vor al - lem, Ge - sund-heit auch nie-ma-len!

Auf den Erfinder des Metronoms

Zu 4 Stimmen (Mälzel) Beethoven

Ta ta ta ta ta ta ta ta ta ta ta ta ta ta ta ta,

lie-ber, lie-ber Mäl-zel, ta ta ta ta ta ta ta ta

ta, le-bet wohl, sehr wohl. Ta ta ta ta ta ta ta ta ta, Banner der

Zeit. Ban-ner der Zeit, ta ta ta ta ta ta ta ta ta ta ta ta ta,

gro-ßer, gro-ßer Me-tronom. Gro-ßer Me-tronom, ta ta ta ta ta

Die C ≉ Skala

Zu 3 Stimmen Beethoven

Ich bitt' dich, ich bitt' dich, schreib' mir die C - Ska-la auf!

A

A

Er ist da!

Friedrich Kuhlau
(1786-1832)

Zu 3 Stimmen

Er ist da! Er ist da in sei-ner Glo - ri -

a, in sei-ner Glo - ri - a! Die Freude will uns er

stik-ken, die Freu-de__will uns er-stik-ken. Wir

wis-sen vor Ent-zük-ken uns gar nicht zu las-sen, uns gar nicht zu

lassen, denn er ist __ da in sei-ner Glo - - ri - a, in sei-ner

Glo-ri-a, _____ in sei-ner

Glo - ri - a, denn er ist da in seiner Glo - - ri - a.

Gern lachen die Heiden

Zu 3 Stimmen   Kuhlau

Gern lachen die Hei-den, die Ju-den, die Christen, Ju-ri-sten, So-

phi-sten, E-go-i-sten, Ar - tisten; das Lachen ku-riert die Hy-po-chon-

dri-sten, ja, es ku-riert die Hypochon-dri-sten. Wem La-chen zu

wek-ken die Ga - be ver-lieh'n, der lö-set die Gril-len,

lö-set die Zwei-fel, lö-set die Gril-len, die Zwei-fel, der jagt die

Lan - ge-wei-le zum Kuk-kuck, der jagt die Lan - ge-wei-le zum

Kuckuck, auf Hän-den trägt man ihn, ja, auf Hän-den trägt man ihn.

Lachkanon

Zu 3 Stimmen

Kuhlau

Ho, ho, ho, ho, ho, ho, ho, ho, ho! Heil dem Mann, der das

La - chen er - re - gen _ kann, der das Lachen, das Lachen er-re-gen

kann! Kalt be - wundert wird der Wei-se in dem engen, kühlen

Krei-se, in dem en-gen, küh-len Krei - se, a - ber wer zu

la - chen gibt, wird von al - ler _ Welt _ ge - liebt.

Ihr Vögel, zwitschert

Zu 3 Stimmen

Kuhlau

Ihr Vö-gel, zwitschert Ge-sang _ der _ Won - ne! Ihr Fel-sen, in

freu - di-ger Rüh - rung kracht! Ver-nei - ge _ dich, o Morgen-

son-ne! Der Sul-tan kommt in sei - ner _ Pracht, der

Sul-tan kommt, der Sul-tan kommt, er kommt in _ sei - ner Pracht.

Pflichtschuldigst gähnet

Zu 3 Stimmen

Kuhlau

Pflichtschul-digst gäh-net, ihr Ge - treu-en! Der gro-ße

Sul-tan hat ge - gähnt, gähnt, _____ doch würd' ein Lä-cheln ihn er - freu - en, würd' ein Lä-cheln ihn er - freu - en, so lacht, bis euch _ das _ Au - ge _ tränt, so lacht, bis euch das Au - ge, das Au - ge tränt.

O du Nase aller Nasen

Zu 3 Stimmen

Kuhlau

O du Na - se al - ler Na - sen! Nein, so groß ist mei - ne nicht! O du Na - se al - ler Na-sen! Nein, so groß ist meine nicht, ist meine nicht! O du Na-se al-ler Na - sen! O du Na - se al - ler Na - sen, _ nein, ___ so _ groß, _ nein, nein, so groß ist mei - ne nicht! O du Na-se al-ler Na - sen! O du Na - se al - ler Na - sen! Nein, so groß ist mei - ne nicht! O du _ Na - se! Nein, so groß ist mei - ne nicht.

154

Der Hagestolz

Zu 3 Stimmen

Kuhlau

1.

Nein, nein, nein, ich seh' es end-lich ein, man muß sich be-

que-men ei-ne Frau zu nehmen. Ei-ne Frau! Ei-ne

2.

Frau! Bedenk' es ge-nau, bedenk', bedenk' es ja ge-nau, bedenk' es

ja ge-nau. Der Stand der Eh', viel Ach und Weh! Die Flitterwochen

3.

glei-ßen, die Flit-ter-wo-chen glei-ßen, a-ber, a-ber,

a-ber, hin-ter-drein, ja hin-ter-drein, ja hin-ter-drein

muß man oft in saure Äpfel, oft in sau-re Äpfel bei-ßen.

Anticherubinismus

Zu 3 Stimmen

Kuhlau

1.

Ach, Mu-sik von Che-ru-bi-ni ist auch gar zu sehr chro-

ma-tisch! Da-für lob' ich mir Hinzens und Kun-zens Gesän-ge, die

2.

sind ja wie Was-ser so klar. Ich lo-be mir Hin-zens und Kunzens Ge-

sän-ge, die sind ja wie Was-ser, wie Was-ser so klar. Ich

lo - be mir Hinzens und Kunzens Ge - sän ge, die *gepfiffen*

sind wie Was - - - - - - ser.

Den großen Sultan Kopo preist!

Zu 3 Stimmen

Kuhlau

Den großen Sul - tan Ko - po preist! Er hat ge - trun-ken,

er hat ge-speist, ihm hat geschmeckt so Speis' und Trank, dafür den

Göttern un - ser Dank, da-für den Göttern un-ser Dank! Er hat ge-

trun-ken, er hat ge-speist, ihm hat geschmeckt so Speis' als

Trank, ihm hat geschmeckt so Speis' als Trank, da - für, da - für, —

— da-für den Göttern un-ser Dank, da-für den Göttern un-ser

Dank, da - für den Göt-tern un-ser Dank! Er hat ge-

trun-ken, er hat ge - speist, ihm hat geschmeckt so Speis' als

Trank, dafür, da - für, —— da-für den Göttern unser Dank.

Herr, höre mich!

Luigi Cherubini
(1760–1842)

Herr, hö - re mich, nei - ge dich her - ab __ zu mir, __ denn

__ ich will __ vor __ dir be - ten. Herr, hö - re mich, nei-

- - ge __ dich her - ab __ zu __ mir, Herr, denn ich will

vor __ dir be - ten. Herr, hö - re mich und nei - ge

dich, denn __ ich __ will vor dir be - - ten.

(Textunterlegung von Fritz Jöde)

Auf, laßt uns singen!

Cherubini

Auf, laßt uns sin-gen, sin - gen __ im __ Chor, daß hell und

jubelnd es erschallt. Singt nun und jubi-liert! Fangt an!

(Textunterlegung von Fritz Jöde)

Lachkanon

Cherubini

Ha! ha! ha! ha! ha! ha! ha! ha! ha! Un-sern

Ju-bel ruft das E - cho uns zu - rück. Laßt uns __ fröh-lich

sein __ und __ la-chen, denn nicht e-wig währt das Glück.

(Textunterlegung von Fritz Jöde)

Im Wald zu singen

Zu 3 Stimmen

Cherubini

Kommt, laßt uns gehn spa - zie - ren im schö-nen grü-nen Wald, die Hirsch' und Rehlein springen, der Vöglein Lie - der klin-gen, drum laßt uns fröhlich sin - gen, daß ju-belnd es er-schallt. Kommt, laßt uns gehn spa - zie - ren im schö-nen grü-nen Wald. Die Hirsch' und Rehlein springen, der Vöglein Lieder klin - gen, drum laßt uns fröhlich sin-gen, fröhlich sin-gen, ja sin - gen, drum laßt uns fröhlich sin-gen, ja sin-gen, ja sin - gen, ja sin - gen, ja sin - gen, drum laßt uns fröhlich sin - gen im schö-nen, grü-nen Wald.

(Textunterlegung von Fritz Jöde)

Ermunterung

Cherubini

Zu 3 Stimmen

Las-set uns sprin-gen, las-set uns sin-gen, laßt uns-re

Lie-der al-le er-klin-gen, daß wir mit-sam-men al-le die

Sorgen und Fragen und Plagen be-zwin-gen! Las-set uns

sprin-gen, las-set uns sin-gen, laßt uns-re Lie-der

al-le er-klin-gen, daß wir mit-sam-men al-le die

Sorgen und Fra-gen und Pla-gen be-zwin-gen!

Las-set uns sprin-gen, las-set uns sin-gen, laßt uns-re

Lie-der al-le er-klin-gen, daß wir mit-sam-men

al-le die Sorgen und Fragen und Plagen bezwin-gen!

(Textunterlegung von Fritz Jöde)

Frohsinn

Cherubini

Zu 2 Stimmen

Laßt uns sin-gen, laßt uns sprin-gen, laßt uns

mit-ein-an-der klin-gen durch den Tag und durch die

Flur. Nur nicht fra-gen in den Ta-gen: Wird der
Som-mer uns be - ha - gen? Nur nicht za-gen, nur nicht
kla - gen, nur das ei - ne im - mer wa - gen: sich des
Le-bens zu er - freun, des Le-bens zu er - freun.

(Textunterlegung von Fritz Jöde)

Zu 3 Stimmen

Warum?

Cherubini

War - um be-trübst du dich und lei-dest Schmerz, mein Herz, war-
um, __ war - um __ betrübst du dich, mein Herz und lei-dest
Schmerz, warum, war-um? __ Ver - trau __ auf Gott, der __
al - le Din - ge schuf! Ver - trau ihm, er __ steht dir
bei in al - ler Not, dar - um ver-trau auf Gott, ver-
trau auf __ Gott, __ der al - le Din - ge schuf! Ver-
trau ihm, er steht dir bei in al-ler Not, __ dein Gott.

(Textunterlegung von Fritz Jöde)

Solmisation

Cherubini

Zu 3 Stimmen

Do do so la mi fa so! Die-se Pe-
dan-ten stets sin-gen im-mer wie-der Ton-lei-ter auf und
nie-der: do la la ti ti do, dies Singen mag ich nicht, dies
Singen mag ich nicht, ti do so mi so do.

(Textunterlegung von Fritz Jöde)

Den Zeitknickern

Cherubini

Zu 3 Stimmen

Wer fragt da nach der Zeit? So geh, so geh, wenn
dich die Uhr re-giert. So geh nur schnell nach Haus und
schlaf den Jammer aus, daß du so lang der Uhr vergessen
hast, du ar-mer Mann. Wir wol-len derweil sin-gen und
fröh-lich sein! Zum Teufel, zum Teufel, zum Teufel,
zum Teufel: So geh — nur schnell, so geh nur schnell, so

geh nur schnell, so geh nur schnell und denk, daß du so

lang — der Uhr vergessen hast, du ar-mer, ar-mer, ar-mer,

(7) 3.
ar - mer, ar-mer Mann. So geh, so geh, so

geh, so geh nur schnell nach Haus und schlaf den Jammer aus, daß

dich die Uhr re - giert. Wir wol-len derweil sin - gen, wir

1.
wol-len derweil sin - gen und fröh-lich sein. Schluß fröh-lich sein.

(Textunterlegung von Fritz Jöde)

Tanzkanon

Zu 3 Stimmen   Cherubini

1.
Wohl - an! wohl - auf! Laßt uns tan-zen, laßt uns

2.
sin - gen, wohl - auf denn, auf! La la ra, la la ra.

3.
In die Runde, in die Run - de, wohl - auf denn, auf! La la ra,

la la ra, laßt den Reih'n uns schwingen! Bra - vo!

(Textunterlegung von Fritz Jöde)

Gelöbnis

Cherubini

(Textunterlegung von Fritz Jöde)

Cherubini

Cherubini

Anhang

Die zehn Gebote
der Kunst

10 Kanons

von

Joseph Haydn

Die zehn Gebote der Kunst

Joseph Haydn

I.

1. Du sollst dich ganz der Kunst wei - - hen.

2. Du sollst dich ganz der Kunst wei - hen.

3. Du sollst dich ganz der Kunst wei - - hen.

Kann vorwärts und rückwärts, sodann umgedreht und wieder vor-und rückwärts gesungen werden.

II.

1. Du sollst ihr Wir-ken und Bil - den nicht ei - tel nen-nen, nicht ei - tel, nicht ei - tel nen - nen.

2. Du sollst ihr Wir-ken nicht ei - tel nen-nen, ihr Wir-ken und Bil - den nicht ei - tel nen - nen.

3. Du sollst nicht ihr Wir-ken ei - tel, ihr Wir-ken und Bil - den nicht ei - tel nen - nen.

4. Du sollst ihr Wir-ken nicht ei - tel, ihr Wir-ken und Bil - den nicht ei - tel nen - nen.

III.

Und dein＿ Le-ben sollst du ihr hei - li - gen,

und dein Le - ben sollst du ihr hei - li - gen, und dein

Le - ben sollst du＿ihr＿ hei - li - gen,

(Schluß: hei - - - li -

sollst du＿ihr＿ hei - li - gen,＿ihr hei - li - gen.

IV. gen.*)*

Du sollst schaffen im Geiste der Al - ten und hoch sie

eh - ren, auf daß, auf daß lan - ge du

le-best auf Er - - den. Du sollst schaffen im Gei - ste＿der＿

Al - ten, auf daß, auf daß＿du＿lang lebst, lang

lebst auf Er - den, lang＿ le - best＿auf＿ Er - den.

Du sollst schaffen im Gei-ste＿der＿ Al - ten,＿auf＿

daß du lang lebst, auf daß du le - best, du＿

le - best＿auf＿ Er - den, auf＿ Er - - den,

166

daß du lang lebst auf Er - den, auf daß du lang

V. lebst, du lang lebst, lang lebst auf Er - den.

Du sollst be - gei - stert, nicht toll sein, nicht toll sein! Du,

du sollst be - gei-stert, nicht toll, nicht toll sein, du

sollst nicht toll sein, du sollst be - gei-stert, nicht toll sein, nicht toll

VI. sein, du sollst nicht, du sollst nicht toll sein, du sollst nicht toll sein!

Bombast und Schwulst sollst du mei - den, nicht lee-ren Zie-rat ver-

geu - den! Bombast und Schwulst sollst du mei-den, nicht lee-ren

Zie-rat ver - geu - den! Bombast und Schwulst sollst du mei-den,

nicht lee-ren Zie-rat ver - geu - den! Bom-bast und

Schwulst sollst du mei-den, nicht lee - ren Zie-rat ver - geu - den!

Bombast und Schwulst sollst du mei-den, nicht Zierat ver-geuden!

*) Von hier springt jede Stimme in ihren besonderen Schluß.

Schluß 1.

Bombast und Schwulst sollst du mei-den, nicht lee-ren Zie-rat ver-

geuden! Bombast und Schwulst sollst du mei-den, nicht leeren Zierat ver-

Schluß 2.

geu-den! Bombast und Schwulst sollst du meiden, nicht leeren Zierat ver-

geu-den! Bombast und Schwulst sollst du mei-den, nicht lee-ren

Schluß 3.

Zie-rat ver - geu - den. Du sollst den Bom-bast ver -

mei-den, nicht lee - ren Zie-rat ver - geuden, du sollst den Bombast ver-

Schluß 4.

meiden, nicht leeren Zierat ver- geuden! Bombast und Schwulst sollst du

mei-den, vermei-den, nicht lee-ren Zie - rat ver-geuden, ver-geuden, ver-

geuden, Bombast und Schwulst sollst du meiden, nicht lee-ren Zierat ver-

Schluß 5.

geu - den! Schwulst und Bom-bast, den sollst du ver -

mei - den, du sollst nicht, du sollst nicht,

nicht lee - ren Zie - rat ver-geu-den, ver - geu-den!

VII.

1. Du sollst nicht steh - len, nicht steh - len, du sollst nicht, du sollst nicht, du sollst nicht steh - len, nicht stehlen, nicht stehlen!

2. Du sollst nicht steh - len, nicht steh-len, du sollst nicht, du sollst nicht, sollst nicht steh - len, nicht stehlen, nicht stehlen!

3. Du sollst nicht steh-len, du sollst nicht steh - len, du sollst nicht stehlen, du sollst nicht, du sollst nicht steh - len, nicht stehlen, nicht stehlen!

4. Du, du sollst nicht stehlen, du sollst nicht steh - len, du sollst nicht, du sollst nicht, du sollst nicht steh - len, nicht steh-len, nicht steh-len!

5. Du sollst nicht steh-len, du sollst nicht steh-len, du, du sollst nicht steh-len, nicht steh-len, nicht steh-len, du, du sollst nicht steh-len, nicht steh-len!

VIII.

Streng ü-ber dich sei—dein Urteil,dein Ur - teil, dein Ur - teil. Streng, streng ü-ber dich sei dein Ur-teil,dein Ur - teil,—dein Ur - teil. Streng ü-ber dich sei—dein Ur-teil,dein Ur - teil,—dein Ur-teil,dein Ur - - teil. Streng ü-ber— dich sei— dein Ur - teil, streng ü - ber— dich sei dein Ur - teil.

IX.

Im-mer gib das Wah-re schön,das Schö - ne—— wahr, im-mer gib— das— Wah - re— schön, das— Schö - ne,— Schö - ne — wahr, im - mer— gib —das Schö-ne,das Schö-ne wahr,das Wah-re,Wah-re schön, im - mer gib das— Schö - ne wahr und — das —Wah - re schön.

X.

Und nichts un-ter-nimm, was wi-der-strei-tet der Na-
*)(Schl.4)
tur und dem Ge-fühl in dir, und nichts un-ter-
*)(Schl.3)
nimm, was wi-der-strei-tet der Na-tur und dem Ge-fühl in
*)(Schl. 2)
dir, und nichts un-ter-nimm, was widerstreitet der Na-tur und
dem Ge-fühl in dir, in dir, was wi-der-
*)(Schl.1)
strei-tet, was wi-derstreitet dem Ge-fühl in dir, in dir.

Schluß 4.
dir, und nichts un-ter-nimm, was wi-der-strei - tet
Schluß 3.
dir. dir, und nichts un-ter-nimm, was wi-der-
Schluß 2.
strei - tet dir. dir, und nichts unter-
Schluß 1.
nimm, was wi-der-strei-tet dir. dir, und nichts un-ter-
nimm, was wi - derstreitet dem Gefühl in dir, in dir.

*) *Von hier springt jede Stimme in ihren besonderen Schluß.*

3.
Von der Romantik
bis zur Gegenwart

12 Monatskanons

Aus dem „Musikalischen Hausfreund, neuem Kalender 1822"
⟨Komponist ungenannt⟩

Januar

Zu 4 Stimmen

Tief ver - bor - gen schlummert das Le -
(-borgen)   (Le - ben.)

- - - ben, nur die Eul auf dem Kirchturm krächzt!
(-ben.)

Februar

Zu 4 Stimmen

Der war kein Schalks - - narr, der die Schel - len-
(-narr.)

kap - pe er - fand, der die Schel - len-kap - pe, die
(er -

Schel - len-kap-pe er - fand, er - fand und die Kräp-peln.
fand_____)

März

Zu 4 Stimmen

Der Storch! Der Storch! Er bringt ein Püppchen, er

bringt ein Püpp-chen ins Nest mit Ge - klap-, klap-,

klap-klap-klap-klap-klap-klap-klap-klap-klap-klap-klapper.

April

Zu 3 Stimmen und weiteren 3 Stimmen rückwärts

Der A-pril ist nicht zu gut, er schneit den Hir-ten auf den Hut.

Mai

Zu 6 Stimmen

Der Schöp-fung Pracht er-wacht, lau-sche in schwü-ler

Nacht dem Lie - besschall der Nach-ti-gall.

Juni

Zu 4 Stimmen

Sen-sen klir-ren, der Tag ist heiß, es rinnt der Schweiß.
(rinnt der Schweiß.)

Juli

Zu 4 Stimmen

Ihr Krüp-pel und Lah-me, das Bad lädt euch ein, die

Gicht, ach wie sticht sie im— Arm und im Bein, ich

komm zur Ge - sell-schaft, ich ba-de mich auch, die

Gicht holt der Teu - fel nach Ba - de - ge - brauch.

August

Zu 4 Stimmen

Ach, wel - che Pla - ge, die bö - sen Hunds-ta - ge, so drük-kend und heiß rinnt uns immer, immer der Schweiß. (heiß.)

September

Zu 3 Stimmen

Stof - fel! Stof - fel! Obst und Kar - tof - fel, Kar - tof - fel und Obst schaff ins Haus, ins Haus, ins Haus, ins Haus.

Oktober

Zu 4 Stimmen

Die Re-ben, sie ge-ben Ge-deihn, wir prei-sen den Va-ter Rhein. (Ge-deihn.)

November

Zu 4 Stimmen

Cä - ci-lie sang und schwang auf Flügeln des Lieds sich empor!

Hoch thront in dem himmlischen Chor Cä - ci - li - e, Cä - ci - li - e.

Dezember

Zu 4 Stimmen

Wenn du hübsch geschickt bist, be-sche-ret dir der liebe Christ, ihr

Leutchen, wie ihr al-le wißt, auch Pau-ken und Trom-pe-ten.

Erwacht!

Jakob Gottfried Ferrari
⟨1759—1842⟩

Zu 3 Stimmen

Er-wacht, ihr Schlä-fe-rin-nen! Der Kuk-kuck hat ge-
hoch auf des Ber-ges Zin-nen seht ihr die Sonn er-

schrien,⟩ Er-wa-chet, er-wa-chet, der Kuk-kuck hat ge-
glühn! ⟩

schrien: Kuk-kuck, Kuk-kuck, Kuk-kuck, Kuk-kuck.

C~a~f~f~e~e

Karl Gottlieb Hering
⟨1766—1853⟩

Zu 3 Stimmen

C-a-f-f-e-e, trink nicht so viel Caf-fee,

nicht für Kinder ist der Türkentrank, schwächt die Nerven, macht dich

blaß und krank, sei doch kein Mu-sel-mann, der ihn nicht las-sen kann.

Auf, ihr Brüder
⟨Ein sehr harter Winter⟩

Zu 4 Stimmen

Hering

Auf, ihr Brü - der, auf und singt,
(Ein sehr har - ter Win - ter ist,

bis es im - mer bes - ser, im - mer bes - ser klingt.
wenn ein Wolf, ein Wolf, ein Wolf den an - dern frißt.)

Genießet den Mai!

Zu 3 Stimmen

Traugott Maximilian Eberwein
⟨1775 – 1831⟩

Ge - nie - ßet den Mai, er ei - let vor - bei!

Scher-zet und sin - get im la-chen-den Mai! Ge-nie-ßet den

Mai, er ei - let vor - bei! Ge-nie-ßet den Mai, er ei - let vor-

bei! Scher-zet, ja scher - zet und sin - - get im

la-chen-den Mai! Ge - nie-ßet den Mai, er ei - let vor-

bei! Scher-zet und sin - get im la - chen-den Mai!

Ein Fisch ist stumm

Zu 3 Stimmen

Eberwein

Immer fröh-lich un-ter Sang, un-ter Klang! Ein Fisch ist
stumm, ein Fisch ist stumm, stumm, stumm. Immer fröh-lich un-ter
Sang, un-ter Klang! Ein Fisch ist stumm, stumm, stumm, ein Fisch ist
stumm, stumm. Immer fröh-lich un-ter Sang, un-ter Klang! Ein
Fisch ist stumm, stumm, ein Fisch ist stumm.

Warnung

Carl Maria v. Weber
⟨1786—1826⟩

Zu 3 Stimmen

Mäd-chen, ach, mei-de Män-ner-schmeiche-lein, die
ko-senden Wor-te, Mäd-chen, schlä-fern dich ein. Ach, die
sü-ßen Schmei-che-lei-en wür-den dich gar bald ge-
reu-en, glau-be, Mäd-chen, mei-nen Wor-ten, si-cher
wird es dich ge-reu-en, lie-bes wird es dich ge-reun.

Weihnachten
Ludwig Ernst Gebhardi
⟨1787–1862⟩

Zu 4 Stimmen

1. Eh - re sei Gott in der Hö - he!

2. Frie - de auf Er - den, auf Er - den und den

3. Men - schen ein Wohl - ge - fal - len. A -

4. - - - - men. A - - men.

Preis und Lob
Gebhardi

Zu 4 Stimmen

1. Preis und Lob und Eh - - re brin - gen

⟨Schl.⟩ 2.

3. wir dem Schöp - fer al - ler Wel - ten!

⟨Schl.⟩

4. A - men, A - men. A - men, A - men.

Wacht auf!
Johann Jakob Wachsmann
⟨1791–1853⟩

Zu 2 Stimmen

1. Wachet auf, wachet auf, es kräh - te der Hahn, die

2. Son - ne be - tritt die gol - de - ne Bahn.

Wir gratulieren

Moritz Hauptmann
⟨1792–1868⟩

Zu 4 Stimmen

Wir kom-men all und gra-tu-lie - - ren zum Ge-
(Ge-
burts - tag un - serm Freun-de N.
burts - - tag)

Zur Begrüßung
⟨Fritz Jöde⟩

Hauptmann

Zu 3 Stimmen

Seid ihr nun da, seid ihr nun da, seid ihr nun
da, seid ihr nun da, seid ihr nun da? Ei - ja,
_ ei - ja! Nun, so laßt uns sin - gen! Ja, ihr seid
da, ja, ihr seid da, ja, ihr seid da, ja, ihr seid
da! Nun laßt uns sin - gen! Ei - ja!_
_ Ei - ja!_ Wir wol-len sin - gen!

Eigentum des Möseler Verlages, Wolfenbüttel

Zum neuen Jahr
⟨Fritz Jöde⟩

Hauptmann

Zu 3 Stimmen

Neu - es Jahr! Das al - te Jahr ver - gan-gen ist, das

neu - e tritt her - ein, grüßt es fein und singt _ es ein!

2.
Viel Glück und Se-gen bring es euch und eu-rem gan-zen

Haus zu - gleich und al - len Men-schen sei's zur Freu - de und (zur

3.
nie-man-dem zum Lei - de. Das wün - schen wir von Her-
Freu - de.)

- zen zum neu - en Jahr, _ zum neu - - en Jahr!

Eigentum des Möseler Verlages, Wolfenbüttel

Dreifach ist der Schritt der Zeit

Zu 3 Stimmen   〈Friedrich von Schiller〉   Franz Schubert
〈1797–1828〉

1.
Drei - fach ist der Schritt der Zeit: Zö - gernd

2.
kommt die Zu - kunft her - ge - zo - gen,

pfeil-schnell ist _ das Jetzt ent - flo-gen,

e - wig still _ steht die _ Ver - gan - gen-heit.

3.
Drei - fach ist der Schritt _ der Zeit: Zö - gernd

kommt die Zu - kunft her - ge - zo - gen.

Der Schnee zerrinnt
⟨Ludwig Hölty⟩

Zu 3 Stimmen

Schubert

Der Schnee zer-rinnt, der Mai be-ginnt, und Vo - gel-schall tönt ü - ber - all. Wer weiß, wie bald die Glok - ke schallt, wer weiß, wie bald die Glok-ke schallt! Drum wer - det froh, Gott will es so; ge - nießt der Zeit, die Gott ver-leiht.

Sanctus

Zu 3 Stimmen

Schubert

San-ctus, San-ctus, San - ctus, De - us Sa-ba-oth! San-ctus, San-ctus, San - ctus, San-ctus, De - us Sa - ba-oth! San-ctus, San-ctus, San - ctus, San - ctus, De - us Sa - ba-oth! Ple - - ni sunt cœ - li et ter - ra, ple - - ni sunt cœ - li et ter - ra glo - ri - a tu - a, glo - ri - a tu - a.

⟨Schluß 3⟩

(Heilig bist du, Gott Zebaoth! Himmel und Erde sind deines Ruhmes voll. Hosianna Gott in der Höhe.)

Willkommen, lieber schöner Mai
⟨Hölty⟩

Schubert

Zu 3 Stimmen

1. Will - kom-men, lie - ber schö-ner Mai, dir tönt der

Vö - gel Lob-ge-sang. 2. Will-kom-men, lie - ber schö-ner Mai, dir

tönt der Vö - gel Lob - ge-sang. 3. Will - kom-men, lie - ber

schö - ner Mai, dir tönt der Vö - gel Lob - ge-sang.

Wenn ich weiß

Franz Lachner
⟨1803–1890⟩

Zu 3 Stimmen

1. Wenn ich weiß, was du weißt, und du weißt, was

ich weiß, dann weiß ich, was du weißt, und du weißt, was

ich weiß. 2. Dann weiß ich, was du weißt, dann weiß ich, was

du weißt, und du weißt, und du weißt, was ich weiß,

wann ich weiß, was du weißt, und du weißt, was ich weiß,

3. dann weiß ich, was du weißt, und du weißt, was ich weiß.

⟨gekürzt⟩

Gebt mir zu trinken

Zu 3 Stimmen

Robert Schumann
⟨1810—1856⟩

Gebt mir zu trin-ken! Was in den Ster-nen steht,
kann man nicht än - dern; doch man ver-gißt es bei der
Glä - ser Blin - ken! Gebt mir zu trin-ken, gebt mir zu
trin - ken, gebt mir zu trin-ken, gebt mir zu trin-ken, zu
trin - ken, gebt, gebt mir zu trin - ken, gebt mir zu
trin - ken, gebt mir zu trin - ken, zu trin - ken!
(trin - ken!)

Lautenspiel und Becherklang

Zu 3 Stimmen

Schumann

Laßt Lau-ten-spiel und Be-cherklang nicht ra-sten,so lang es
Zeit ist zu der Ju-gend Fe-sten! Ist Fa-sching aus, so fol-gen
dann die Fa-sten, ist Fa-sching aus, so fol-gen dann die
Fa-sten, ist Fa-sching aus, so fol-gen dann die
Fa-sten, ist Fa-sching aus, so fol-gen dann die Fa-sten.

Wer politisieren will

Zu 3 Stimmen

Komponist unbekannt

1. Wer po - li - ti - sie - ren will und heim - lich schwatzen,

muß pro pœ - na trin - ken und be - zahlt drei Bat - zen, drei

2. Bat - zen. Wer po - li - ti - sie - ren will und heim - lich

schwat - zen, muß pro pœ - na trin - ken und be - zahlt drei

3. Bat - zen, drei Bat - zen. Wer po - li - ti - sie - ren

will und heim - lich schwat - zen, muß pro pœ - na trin - ken

Schluß aller Stimmen

und be - zahlt drei Bat - zen. drei Bat - zen.

Kommt herbei!

⟨Fritz Jöde⟩

Zu 4 Stimmen

Komponist unbekannt

1. Kommt her - bei, 2. dan - ket dem Herrn; denn barm - her - zig ist dein

3. Gott. Sei - ne Güt und Gna - de 4. wäh - ret e - wig - lich.

Eigentum des Möseler Verlages, Wolfenbüttel

Dona nobis pacem!

Zu 3 Stimmen   Komponist unbekannt

Do - na no - bis pa - cem, pa - cem, do - na

no - bis pa - - cem. Do - na no - bis

pa - cem, do - na no - bis pa - - cem. Do - na

no - bis pa - cem, do - na no - bis pa - - cem.

(Gib uns Frieden!)

Lobe den Herren!

Zu 4 Stimmen   Komponist unbekannt

Lo - be den Her - ren, den mäch-ti - gen Kö - nig der
(Kö - nig.)

Eh - re! Stimm froh-lok - kend mit ein in die himm-li-schen

Chö - re! See - le, dein Dank schal-le mit fro-hem Ge -

sang dei-nem Er - hal-ter zur Eh - re, zur Eh - re!

Wie der Tau die welkende Blume

Zu 4 Stimmen — Komponist unbekannt

Wie der Tau die wel-ken-de Blu - - me er - me.)

quickt, so be - le - ben Ge-sän - ge das Herz.
(er - quickt.)

Verzage nicht!
〈Fritz Jöde〉

Zu 2 Stimmen — Komponist unbekannt

Ver - za - ge nicht! Wenn heu-te trüb der Tag ver-geht, ver-
(Ver - za - - ge nicht!)

trau, daß mor-gen wie - der die Son - ne auf-er - steht.

Eigentum des Möseler Verlages, Wolfenbüttel

Ich armes welsches Teufli

Zu 3 Stimmen — Komponist unbekannt

Ich ar - mes wel-sches Teuf-li bin mü - de vom Mar-

schie-ren, bin mü-de, bin mü-de vom Mar - schiern. Ich

hab ver-lorn mein Pfeif - li aus mei - nem Man-tel -

sack,_____ -sack, __ aus mei-nem Man-tel-sack. Schad't

nichts, ich hab's ge - fun - den, was du ver - lo - ren

hast, _____ hast, _____ was du ver-lo-ren hast.

Lorenz, Lorenz!

Zu 4 Stimmen   Mündlich überliefert

Lo-renz, Lo-renz, Lo - - renz! Mach kei-ne Fa-xen,

satt-le dir dein Roß, steig in den Bü-gel, reit ein-mal ins Schloß'

Drei Gäns im Haberstroh

Zu 4 Stimmen   Mündlich überliefert

Drei Gäns im Ha-ber-stroh sa-ßen da und

wa-ren froh, kommt der Baur ge-gan-gen mit'ner lan-gen

Stan-gen, er ruft: Wer do, wer do, wer do?

Drei Gi-ga-Gi-ga-Gäns _____ im _____ Ha-ber-stroh.

Nicht länger ist Winter

Zu 4 Stimmen   Mündlich überliefert

Nicht län-ger _____ ist Win-ter, schon grü-net der

Hain, schon la-det der Früh-ling zum Tan-ze uns ein.

Eines schickt sich nicht für alle

⟨Johann Wolfgang von Goethe⟩

Zu 4 Stimmen

Mündlich überliefert

Ei - nes schickt sich nicht für al - le, se - he je - der, wie ers trei - be, se - he je - der, wo er blei - be, und wer steht, daß er nicht fal - le!

Wer nicht liebt

Zu 4 Stimmen

Mündlich überliefert

Wer nicht liebt Weib, Wein und Gesang, der bleibt ein Narr sein Leben lang.

Ticktack!

Zu 3 Stimmen

Karl Karow
⟨1790—1863⟩

Gro - ße Uh - ren ge - hen tick - tack, tick - tack,

klei - ne Uh - ren ge - hen tick - tack, tick - tack;

tick - tack, tick - tack, und die klei - nen Ta - schen - uh - ren

tik - ke, tak - ke, tik - ke, tak - ke, tik - ke, tak - ke, knacks!

Weißkirchner

Zu 2 Stimmen

Volkstümlich aus Steiermark
⟨mitgeteilt von Viktor Zack⟩

Ho - li - jo di - di ho - li - jo i - di - ri hol - jo - ei ho ho - li -

jo id - di hol - li jo i - di - ri hol - jo - ei ho ho - li -

jo id - di ho - li - jo i - di - ri hol - jo - ei ho ho - li -

jo i - di ho - li - jo i - di - ri. di ho - la - rei.

Das Kapellner Gläut

Zu 2 Stimmen

Volkstümlich aus Steiermark
⟨mitgeteilt von Viktor Zack⟩

Ho - i du - li e - i ho - ho - li - di - o ho - i du - li e - i

ho - ho - li di - o ho - i du - li e - i ho - i ri - di o - i ho - i du - li e - i

ho - i ri - di o - i ho - i du - li o - i ho - da ri - di o - da ri - di - o - da - ri.

(Die ersten beiden Takte singt die 1. Stimme allein.)

Die Musici

Zu 2 Stimmen

Volkstümlich

Himmel und Er - de müs - sen ver - gehn, a - ber die Mu - si - ci,

a - ber die Mu - si - ci, a - ber die Mu - si - ci blei - ben be - stehn.

*) Die 1. Stimme singt anschließend auf denselben Text den klein hinzugefügten Überschlager.

Lachend kommt der Frühling

‹ Herbert Just ›

Volkstümlich in England

Zu 3 Stimmen

1. La-chend, la-chend, la-chend, lachend kommt der Frühling ü-bers Feld.

2. La-chend la-chend la, la, la, la, la, la, la, la, la-chend kommt er ü-bers Feld.

3. Ha, ha, ha, ha, ha, ha, ha, ha, ha, ha, ha, ha, ha, ha, ha, ha, ha, ha, ha, ha, ha, ha, ha, ha, ha, ha, ha, ha, ha.

Eigentum des Bärenreiter Verlages, Kassel

Jagdgesang

Volkstümlich

Zu 4 Stimmen

1. Tra - ra, das tönt wie Jagd - ge - sang, wie

2. wil - der und fröh - li - cher Hör - ner - klang, wie Jagd - ge -

3. sang, wie Hör - ner - klang: tra - ra, tra - ra, tra - ra.

Trara!

Volkstümlich

Zu 4 Stimmen

1. Tra - ra! So bla-sen die Jä - ger, tra - ra, tra - ra! wenn

4. sie durch-ziehn den grü-nen Wald, tra - ra, tra - ra!

Meister Jakob

Zu 4 Stimmen — Volkstümlich

Mei - ster Ja - kob, Mei - ster Ja - kob, schläfst du
noch, schläfst du noch? Hörst du nicht die Glok - ken,
hörst du nicht die Glok - ken: Bim - bam, bim - bam.

Feierabend

Zu 4 Stimmen — Volkstümlich

Bim, bam, bim, bam! Horch, es singt der Glok - ke Ton
von der Ar - beit sü - ßem Lohn: Fei - er - a - bend!

Nicht lange mehr ist Winter

Zu 4 Stimmen — Mündlich überliefert

Nicht lan - ge mehr ist Win - ter, schon glänzt der Sonne Schein, dann
kehrt mit neu - en Lie - dern der Früh - ling bei uns ein. Im
Fel - de singt die Ler - che, der Kuk-kuck ruft im Hain: Kuk -
kuck, Kuk-kuck, da wol - len wir uns freun.

Vergänglichkeit

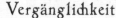

Zu 2 Stimmen — Mündlich überliefert

Wie des Fel-des Blu-men sind Men-schen, all' ih-re

Herr-lich-keit ist wie Gras auf dem Fel-de.
(Gras.)

Johann Jakob Wendehals
⟨Eduard Mörike⟩

Zu 3 Stimmen — Mündlich überliefert

Es schlägt ei-ne Nach-ti-gall an ei-nemWas-ser-

fall und ein Vo-gel e-ben-falls, der nennt sich

Wen-de-hals, Jo-hann Ja-kob Wen-de-hals.

Es tönen die Lieder

Zu 3 Stimmen — A. Spieß ⟨?⟩

Es tö-nen die Lie-der, der Früh-ling kehrt wie-der, es

spie-let der Hir-te auf sei-ner Schal-mei: La,

la, la, la, la, la, la, la, la, la, la, la, la, la, la, la.

Im Falle, Falle, Falle
⟨Kurt Sydow⟩

Zu 3 Stimmen

Weise altenglisch

Im Fal - le, Fal - le, Fal - le, Fal - le, Fal - le,
Fal - le, daß ei - ner un-ter uns is, der im Grund-riß
schon be-grif-fen hat das Wie und Was, wärs für al - le,
wärs für al - le, wärs für al - le schon ein Spaß.

Aus Walter Blankenburg „Fröhliche Singgrade!", Bärenreiter-Verlag, Kassel

Lebe wohl!
⟨Fritz Jöde⟩

Zu 4 Stimmen

Volkstümlich
in England

Le-be wohl! Glück lei-te dich! Bist du fern, ge - denk an mich!

Eigentum des Möseler Verlages, Wolfenbüttel

Göttlicher Morpheus

Zu 4 Stimmen

Johannes Brahms
⟨1833–1897⟩

Gött - li - cher Mor - pheus, um - sonst be-wegst du
die lieb - - li-chen Moh - ne,
bleibt das Au - ge doch wach, bleibt das Au - ge, das
Au - ge doch wach, wenn mir es A - mor,
A-mor nicht schließt, wenn mir es A - mor, es A-mor nicht schließt.

Sehnsucht

Zu 4 Stimmen · Brahms

Ich weiß nicht, was im Hain die Tau - be gir - ret! Ob sie be - trübt wie mei - ne See - le har - ret des Freun - des, der von ihr sich hat ver - ir - ret? Des Freun-des, der von ihr sich hat ver - ir - ret?

Schöns Vogerl

Zu 4 Stimmen ⟨Wunderhorn⟩ Brahms

1. Sitzt a schöns Vo-gerl aufm Dan-na-baum, tut nix als sin - gen und schrein; was muß denn das für a Vo - gerl sein, das muß a Nach-ti-gall sein.
2. Nein, mein Schatz, das ist kein Nach-ti - gall, nein, mein Schatz, das derfst net glaubn; kein Nach - ti - gall schlägt auf keinm Dan - na - baum, schlägt in a Ha - sel - nuß - staud'n.

Tanz, Kindchen, tanz!

Julius Spengel
⟨1853–1936⟩

Zu 5 Stimmen

Tanz, Kind-chen, tanz! Die Schüh-le sind noch ganz. Laß dichs nur nicht ge-reu-e, der Schu-ster macht dir neu-e. Tanz, Kind-chen, tanz!

Aus: Julius Spengel „Kanons" Heft 1, Verlag Chr. Friedrich Vieweg, Berlin-Lichterfelde

Abends, wenn ich schlafen geh

⟨Wunderhorn⟩

Spengel

Zu 10 Stimmen

A-bends, wenn ich schla-fen geh, vier-zehn En-gel bei mir stehn: zwei zu mei-ner Rech-ten, zwei zu mei-ner Lin-ken, zwei zu mei-nen Häup-ten, zwei zu mei-nen Fü-ßen, zwei, die mich dek-ken, zwei, die mich wek-ken, zwei, die mich wei-sen ins himm-li-sche Pa-ra-deis.

Aus: Julius Spengel „Kanons" Heft 1, Verlag Chr. Friedrich Vieweg, Berlin-Lichterfelde

Der Kniereiter
(Wunderhorn)

Zu 8 Stimmen   Spengel

Wenn die Kin-der klei-ner sein, rei-ten sie auf Stök-ke-lein,
wenn sie grö-ßer wer-den, rei-ten sie auf Pfer-den,
wenn sie grö-ßer wach-sen, rei-ten sie nach Sach-sen,
wo die schö-nen Mäd-chen auf den Bäu-men wach-sen.

Aus: Julius Spengel „Kanons" Heft 1, Verlag Chr. Friedrich Vieweg, Berlin-Lichterfelde.

Guten Morgen

Zu 3 Stimmen   Spengel

1. Gu-ten Mor-gen, lie-ber Son-nen-schein, guckst in die
2. Die Vö-ge-lein sind auf-ge-wacht und ha-ben

Fen-ster schon her-ein? Was ma-chen denn die Vö-ge-lein?
für die stil-le Nacht dem Schöpfer ih-ren Dank ge-bracht.

Aus: Julius Spengel „Kanons" Heft 1, Verlag Chr. Friedrich Vieweg, Berlin-Lichterfelde

Blüh auf!

Zu 2 Stimmen   Arnold Mendelssohn
(1855–1933)

Blüh auf, ge-fror-ner Christ,
der Mai ist vor der Tür,

du___ blei - - best___ e - wig
tot,___ blühst___ du nicht jetzt und hier!

Die Trompete

Zu 3 Stimmen

Arnold Mendelssohn

1. So tönt die Trompe-te, so tönt_____ die Trom-

2. pe-te, so tönt___ die Trom-pe-te, so___ tönt___ die Trom-

3. pe-te, so tönt,___ so tönt die Trom-pe - - te.

Dazu singt der Baß:

So___ dröhnt die Po - sau - - ne.

Die Intervalle I

Zu 3 Stimmen

Eusebius Mandyczewski
(1857–1929)

1. Die Prim, die Se-kund, die Terz, die Quart, die Quint, die Sext, die

2. Sept, die Ok-tav:___ al - le, al - le In-ter-val-le sin-gen

wir in je-dem Fal - le mit ge-wohntem lauten Schalle, je - der

3. Ton muß klar und rein bei ge-schul-ten Sän-gern sein!

Die Intervalle II

Zu 3 Stimmen

Mandyczewski

Die Prim, die Se-kund, die Terz, die Quart, die

Quint, die Sext, die Sept, die Ok-tav: _____ so

wird der Ka-non _ um-ge-kehrt und klän-ge _

auch noch sehr _ ge-lehrt; doch wär er des-halb

viel mehr wert? Ach nein! Grad um-ge-kehrt!

Eigentum des Möseler Verlages, Wolfenbüttel

Kellner, zahlen!
⟨Mandyczewski⟩

Zu 4 Stimmen

Mandyczewski

Kell-ner! zah-len! Kell-ner! zah-len! Wir

ha-ben ei-ne Sup-pe, ei-nen Bra-ten, ein Ge-

mü-se, ei-nen Ku-chen, ein Glas Bier, ei-nen Kä-se und ein

Brot. Das macht drei Kro-nen fünf-und-vier-zig.

Eigentum des Möseler Verlages, Wolfenbüttel

Musikantenspruch
〈Fritz Jöde〉

Mandyczewski

Zu 2 Stimmen

Wenn uns-re Flö-ten und Gei-gen er-klin-gen, hebt sich das Herz, und der Mund möch-te sin-gen. Dum dum du-dl du-dl dum, dum dum du-dl du-dl dum.

Schluß 1: Ei, das ist ein wah-res, ein wah-res Gau-di-um.

Schluß 2: Ei, das ist ein wah-res Gau-di-um.

Eigentum des Möseler Verlages, Wolfenbüttel

Der Butzemann
〈Wunderhorn〉

Martin Frey
〈1872 –

Zu 3 Stimmen

Es tanzt ein But-ze-mann in un-serm Haus her-um, di-dum. Er rüt-telt sich, er schüt-telt sich, er wirft sein Säck-chen hin-ter sich, Es tanzt ein But-ze-mann in unserm Haus her-um.

Aus: Martin Frey „Lieder fürs Haus", Steingräber Verlag.

Schlaf, mein kleines Mäuschen!

Frey

Zu 4 Stimmen

Schlaf, mein klei-nes Mäus-chen, schlaf bis mor-gen früh, bis der Hahn im Häus-chen ruft sein Ki-ke-ri-ki.

Aus: Martin Frey „Lieder fürs Haus", Steingräber Verlag.

Salve

Zu 4 Stimmen

Armin Knab
⟨geb. 1881⟩

1.
Sal - ve, sal - ve, sal - - ve, sal - - -
- ve!)

2.
- ve! Sal - - - -

- ve,___ sal - - ve! Sal - - ve,

3.
sal - - ve, sal - - ve! Sal - ve, sal - ve,
(sal - - - ve!)

4.
sal - ve, sal - ve, sal - ve, sal - ve!
(sal - -

Aus Knab „Chorlieder und Kanons", Möseler Verlag, Wolfenbüttel

Wem Ewigkeit wie Zeit
⟨Jakob Böhme⟩

Zu 3 Stimmen

Knab

1.
Wem E - wig - keit wie Zeit und Zeit wie E - wig keit, der
(in)

2.
ist be - freit von al - lem Streit,_____ von

3.
al - lem Streit,_____ von al - lem Streit,

___ der ist be - freit von al - lem Streit.

Eigentum des Möseler Verlages, Wolfenbüttel

Hausinschrift

Zu 2 Stimmen

Knab

Dies Haus ist mein und doch nicht mein; dem, der nach
mir kommt, wird es auch nicht sein, den drit-ten trägt man
auch hin-aus. Nun, sagt mir: Wem? Wem___ ghört
die-ses Haus, ghört die-ses Haus? Wem?___Wem?

Aus Knab „Chorlieder und Kanons", Möseler Verlag, Wolfenbüttel

Wer do?
⟨Wunderhorn⟩

Zu 3 Stimmen

Knab

Drei Gäns im Ha-ber-stroh sa-ßen da und wa-ren
froh, drei Gäns im Ha-ber-stroh sa-ßen da und wa-ren
froh. Dann kam ein Bau-er ge-gan-gen mit
ei-ner lan-gen Stan-gen, ruft: Wer do? Drei
Gäns im Ha-ber-stroh sa-ßen da und wa-ren froh, drei
Gäns im Ha-ber-stroh sa-ßen da und wa-ren froh.

Aus Knab „Chorlieder und Kanons", Möseler Verlag, Wolfenbüttel

Einquartierung
⟨Wunderhorn⟩

Zu 5 Stimmen Knab

(Notenzeilen)

1. Die En-ten spre-chen: Sol-da-ten kommen, Sol-da-ten kommen. Der

2. En-terich spricht: Sacker-lot, sacker-lot, sackerlot, sackerlot. Der

Haushund spricht: wo, wo, wo, wo, wo, wo? Die Kat-ze spricht: von Bern-

au, von Bern-au! Der Hahn auf der Mau-er: Sie sind schon da!

⟨Schluß 3⟩
Sie sind schon da! Al-le spre-chen: Sol-da-ten kommen, Sol- (schon da!)

⟨Schluß 2⟩
da-ten kommen, sacker-lot, sacker-lot, sacker-lot, sacker-lot, wo,

⟨Schluß 1⟩ ⟨Schluß 5⟩ ⟨Schluß 4⟩
wo, wo, wo, wo, wo? Von Bernau, von Bernau, sie sind schon da!

Aus Knab „Chorlieder u. Kanons", Möseler Verlag, Wolfenbüttel *(Gemeinsamer Schlußakkord, der Hahn kräht nach.)*

Merkspruch
Heinrich Kaminski
⟨1886–1946⟩

Zu 2 Stimmen

1.⟨T⟩ 2.⟨S⟩
O See-le, den-ke dei-ner Hei-mat,

und daß das Licht der Him-mel in dir

im-mer-dar leuch-te!
(2.St. leuch-te.)

Aus „Neue Kanons", Bärenreiter-Verlag, Kassel

Torspruch
〈Richard Billinger〉

Christian Lahusen
〈geb. 1886〉

Doppelkanon zu je 2 Stimmen

Gott heißt das groß' Wort, Brot schlie-ßet den Reim. Not nie bei uns le - be! Tod in den Him-mel uns he - (he - be!) be!

2. Stimme vom *:
den Him-mel uns he - be!

Aus Christian Lahusen „Tag des Bauern", Bärenreiter-Verlag, Kassel

Herz, mein Herz
〈Hermann Claudius〉

Lahusen

Zu 4 Stimmen

Herz, mein Herz, gib acht, gib acht! Horch, es pocht ans Tor die Nacht! Horch, es pocht ans Tor der Tod! Herz, mein Herz, ge - denk der Not!

Aus Christian Lahusen „Heimkehr im Abend", Bärenreiter-Verlag, Kassel und Basel

Solfeggien auf dem Hühnerhofe
⟨Kindervers⟩

Zu 4 Stimmen Lahusen

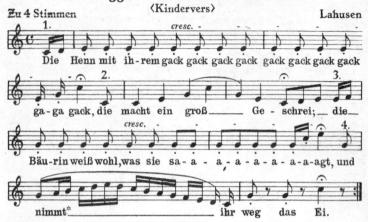

Die Henn mit ih-rem gack gack gack gack gack gack gack gack ga-ga gack, die macht ein groß___ Ge-schrei; die___ Bäu-rin weiß wohl, was sie sa-a-a-a-a-a-a-a-agt, und nimmt* ___ ihr weg das Ei.

Als Singübung etwa von H- bis D-dur halbtonweise steigend und fallend.
* Andere Vokalstudien: „und jagt ihr ab", „und holt ihr weg", „und sucht sich schnell" usw.
Aus Bärenreiter-Chorblatt Nr. 52, Bärenreiter-Verlag, Kassel

Für 2 Frauen- und
1 Männerstimme

B-A-C-H
⟨Zuckmayer⟩

Eduard Zuckmayer
⟨geb. 1890⟩

B-A-C-H! Sei die-sem Geist ge-lo-bet im-mer-dar, er-fül-le sein Ge-setz___ nun Jahr___ um Jahr!_ B-A-C-H.

Eigentum des Möseler Verlages, Wolfenbüttel

Trauergesang
⟨Richard Dehmel⟩

Zu 3 Stimmen
in der Unterquint

Hermann Erpf
⟨geb. 1891⟩

Se-lig trau-ern Ed-le um ein ed-les Le-ben. Nie

207

ver-liert sich, was ge-we-sen; wenn du dei-nes Grams ge-

ne - - sen, wird in Sehn-sucht, wird in Schau-ern

dir dein We - sen, wird in Sehn-sucht dir das Ver-lor-

ne wie-der-ge-ben, wie - der-ge-ben, wie -

- der - ge - - - ben,_____ wie - der - ge -

- - - - - ben. ‖ Einsätze A T B 8

Eigentum des Möseler Verlages, Wolfenbüttel

Neujahrsspruch
⟨Werner Wehrli⟩

Werner Wehrli
(1892–1944)

Zu 3 Stimmen
1.

Was wol-len wir im neu-en Jahr be-gin - - nen

2.

und voll-brin-gen? Dem Teu - fel wolln wir uns nicht weihn,

3.

_ noch wen-ger blan-ke En-gel sein und wol-len sin -

- - - - - gen, sin - - gen.
(sin - - gen.)

Eigentum des Bärenreiter-Verlages, Kassel und Basel

Zum neuen Jahr
⟨Wehrli⟩

Zu 2 Stimmen · Wehrli

Ge - sund-heit, Ge - sund-heit und ein we - nig Glück, das

laß das al - te Jahr___ dem neu - en Jahr zu - rück.

Mit Erlaubnis des Verlages Hug & Co., Zürich, aus „Hobelspäne", 12 Kanons von W. Wehrli

Spruch
⟨Gottfried Keller⟩

Zu 3 Stimmen · Wehrli

Reich im-mer froh dem Mor-gen, o Ju-gend, dei-ne Hand. Die

Al - ten mit den Sor - gen laß auch be-stehn im Land.___ Die

Al - ten mit den Sor - gen laß auch be-stehn im Land.

Eigentum der Erben des Komponisten

Schicksal und Trost
⟨Heinrich Seuse⟩

Doppelkanon zu 4 Stimmen · Wehrli

Heut des Lie - ben viel, mor - gen

Das ist des Le - bens Spiel,___ des Le -

Lei-des ein Her-ze voll: das ist des Le-bens Spiel:

- bens Spiel: Heut___ des Lie-ben viel,___ mor-

Mor - gen Lei-des ein Her - - ze voll!

- - gen Lei-des ein Her - - - ze voll!

Eigentum der Erben des Komponisten

Ruf zum Sommertanz

Walter Rein
(geb. 1893)

Zu 3 Stimmen

Her - bei, her - bei, zum fröh - li - chen Rei - gen her -

bei, her - bei! Der Win-ter will wei-chen, laßt uns dem
(her - bei, her-

⟨Schluß⟩

Früh - ling nei - - - gen! Her - bei, her - bei!
bei!)

Eigentum des Möseler Verlages, Wolfenbüttel

Gebet des Kindes zum Nikolaus
⟨Wunderhorn⟩

Rein

Zu 4 Stimmen

Ich bit - te dich, Sankt Ni - klaus, sehr, in mei - nem

Hau - se auch ein - kehr, bring Bü - cher, Klei - der und auch
(ein-kehr!)

Schuh und noch viel schö-ne gu - te Sa - chen da - zu, so
(da - zu.)

will ich ler - nen wohl und fromm sein, wie ich
(sein.)

soll. A - - - - - - men.

Eigentum des Möseler Verlages, Wolfenbüttel

Herbst

Zu 3 Stimmen   〈Hermann Claudius〉   Rein

Das Wein-laub wird schon rot. Da-hin-ter steht der Tod._

_ Er tupft mit sei-nem Fin-ger sacht._ Da

sinkt her-ab die bun-te Pracht. Sie fällt vor mei-nem

Schritt. Bald muß ich sel - - ber mit._

Aus: Walter Rein "Der Ring bind't alle Ding",
Bärenreiter-Verlag, Kassel

Wer die Musik in Ehren hält

Zu 3 Stimmen   〈Christian Weise〉   Ernst Lothar von Knorr 〈geb. 1896〉

Wer die Mu-sik_ in_ Eh - ren
(-sik_)   (Eh - ren hält.)

hält,_ der hält sich selbst in Eh - ren.

Eigentum des Komponisten

Die heilige Flamme

Zu 2 Stimmen   〈Heinrich Lersch〉   v. Knorr

Wir, aus Er-de, staub-ge-bo-ren, sind von hei-li-ger Lust durch-

bebt durch das Licht der reinen Sehnsucht, das aus deinem Wesen lebt.

2. Was von deinen Erdgeschenken du uns gabst, ward heilig Gut: Weib und
Bruder, Volk und Freiheit, heilig durch der Liebe Glut.

3. Nur, was irdisch und vergänglich, senkt sich dem Verderben zu. Aber
du, du heilige Flamme, unsre Sehnsucht, glühe du!

Eigentum des Komponisten

Wir Werkleute all
⟨Heinrich Lersch⟩   v. Knorr

Zu 3 Stimmen

Wir Werk-leu-te all schmieden ein neu-es Volk in
stol-zer Frei-heit wie-der zu-sam-men.

Eigentum: P. J. Tonger, Musikverlag, Rodenkirchen/Rhein

Keiner kennt den Klang der Töne
⟨Hanna Lenz⟩   v. Knorr

Zu 3 Stimmen

Kei-ner kennt den Klang der Tö-ne, die die Zu-kunft
ihm wird spen-den. Möch-ten freu-di-ge und schö-
ne dei-nes Le-bens Lied voll-en-
den! Kei-ner kennt den Klang der Tö-ne.
(2:-den!)

Eigentum des Komponisten

Ein Herze
⟨Angelus Silesius⟩   Hans Lang ⟨geb. 1897⟩

Zu 3 Stimmen

Ein Her-ze, das zu Grund Gott still ist, wie er
will, wird gern von ihm be-rührt, es ist sein Sai-
ten-spiel.

Eigentum des Möseler Verlages, Wolfenbüttel

Zum Geburtstag

Karl Marx
(geb. 1897)

Zu 2 Stimmen in der Unterquint

Die-ser Tag, an dem vor Jah - ren du er - blickt der
Son - ne Schein, _____ mög (in un - ge - trüb - tem
Glük - ke _____*) dir noch oft be - schie - den sein! _____

*) Für die eingeklammerten Worte kann ein beliebiger Text entsprechend der besonderen Gelegenheit eingesetzt werden: im Kreise deiner Lieben–in jugendlicher Frische–in steter Schaffensfreude [usw.

Aus Karl Marx „Kanons", Bärenreiter-Verlag, Kassel

Ich lebe mein Leben
⟨Rainer Maria Rilke⟩

Marx

Zu 3 Stimmen

Ich le - be mein Le - ben im wach - sen-den Rin - gen,
die sich ü - ber die Din - ge ziehn. Ich wer - de den
letz - ten viel - leicht nicht voll - brin - gen, a - ber ver -
su - chen will _____ ich _____ ihn.
(3: will ich ihn.)

Aus Karl Marx „Kanons", Bärenreiter-Verlag, Kassel

Wir bauen an dir
⟨Rainer Maria Rilke⟩

Marx

Zu 3 Stimmen

Wir bau-en an dir mit zit-tern-den Hän - den_____ und wir

tür-men A - tom auf A - tom. A - ber wer kann dich voll-

en - - - - den, du Dom, du Dom, du Dom.

Aus Karl Marx „Kanons", Bärenreiter-Verlag, Kassel

Kommt ein Kindlein auf die Welt

⟨Ruth Schaumann⟩

Zu 2 Stimmen   Marx

1. Kommt ein Kind-lein auf die Welt, fällt ein Stern vom
2. Lacht das Kind zum er - sten - mal, rauscht ein Brun-nen
3. Weint zum er - sten - mal das Kind, kommt ein sanf - ter

Him-mels-zelt, springt___ ein Busch in Blü - ten auf,
aus dem Tal, eilt___ ein Kitz-lein durch den Tann,
A - bend-wind, und ein Li - lien-sten-gel schön___

fliegt ein Vo - - gel hoch hin-auf, singt so weh,
ei - ne Wach - - tel hü - gel-an ruft gar hell
wird aus dunk - - ler Er - de gehn und ein Tau

singt__ so__ süß von dem hel - len__ Pa - ra -
ih - rer__ Brut: Got - tes Herz ist__ groß und
fällt__ dar - ein, trö - sten kann nur__ Gott al -

dies, von dem hel - - len Pa - ra - dies.
gut, Got - - tes Herz ist groß und__ gut.
lein, trö - - sten kann nur Gott al - lein.

Aus Karl Marx „Kanons", Bärenreiter-Verlag, Kassel

Schau auf zum Licht
〈Fritz Jöde〉

Zu 3 Stimmen

Paul Söhner
〈geb.1898〉

Schau auf zum Licht, nicht ver-zag, grä-me dich nicht und nicht klag, bau auf den Herrn, der al-les ver-mag! - mag! der al-les, der al-les ver-mag!

Eigentum des Komponisten
Worte: Möseler Verlag, Wolfenbüttel

Nicht klagen und zagen

Zu 3 Stimmen

Söhner

Nicht kla-gen und za-gen, be-gin-nen und wa-gen in Son-ne und Sturm.

Eigentum des Komponisten

Der Alten Lust

Zu 3 Stimmen

Helmuth Weiß
〈geb.1901〉

Lust um Lust den Jun-gen, wel-che Lust den Al-ten? Der Al-ten Lust ist fort-ge-hüpft jauch-zend über die Hü-gel, über die Hü-gel,

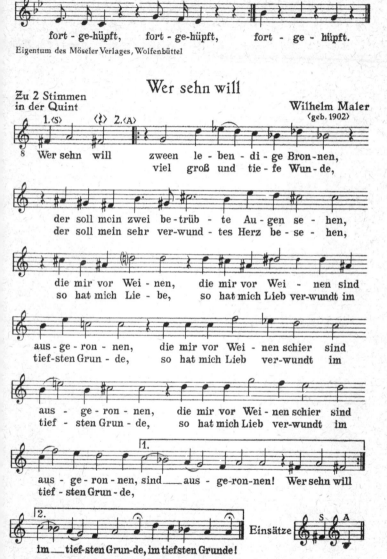

Die mit Tränen säen

Maler

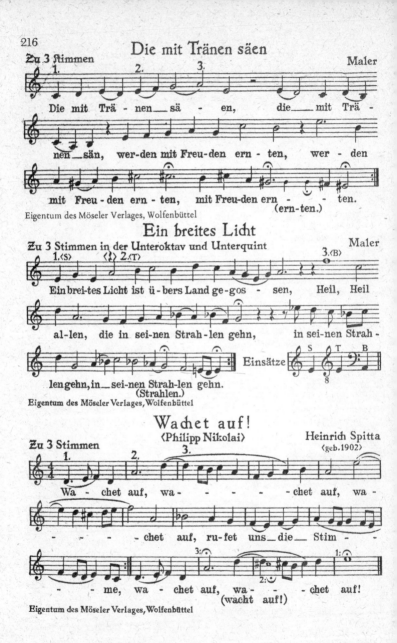

Zu 3 Stimmen

Die mit Trä - nen _ sä - en, die _ mit Trä -
nen _ sän, wer-den mit Freu-den ern - ten, wer - den
mit Freu-den ern - ten, mit Freu-den ern - ten.
(ern-ten.)

Eigentum des Möseler Verlages, Wolfenbüttel

Ein breites Licht

Maler

Zu 3 Stimmen in der Unteroktav und Unterquint

Ein brei-tes Licht ist ü - bers Land ge-gos - sen, Heil, Heil
al-len, die in sei-nen Strah-len gehn, in sei-nen Strah -
len gehn, in _ sei-nen Strah-len gehn.
(Strahlen.)

Einsätze

Eigentum des Möseler Verlages, Wolfenbüttel

Wachet auf!

(Philipp Nikolai)

Heinrich Spitta
(geb. 1902)

Zu 3 Stimmen

Wa - chet auf, wa - - - - - chet auf, wa -
- - - - chet auf, ru-fet uns _ die _ Stim - -
- - me, wa - chet auf, wa - - - chet auf!
(wacht auf!)

Eigentum des Möseler Verlages, Wolfenbüttel

217

Frisch auf

Doppelkanon zu je 2 Stimmen

Spitta

Frisch auf, sin - - - - - - get all,

ihr Mu - si - ci, und ganz fröh - - lich

klin - get mit al - len In - stru - men - - ten

Fort denn Me - lan - cho - lei!

hie! Schlagt und sin - get all, schlagt und sin - get

Es bleibt zum Schluß da - bei: Fort mit dem Gril - len - fang,

all, daß fröh - - lich tut er - klin - gen: wir

lieb - li - cher Tö - ne Klang jagt weg das Leid,_____

wol - len sin - - - gen! Frisch auf!

Leid!_____

jagt weg_____ das Leid, das Leid!

Eigentum des Möseler Verlages, Wolfenbüttel

Wie groß ist Gott

Zu 3 Stimmen*)

Spitta

Wie groß ist Gott, ist Gott ___ im

Klei - nen, im Klei - - nen. ___
(Klei - nen.)

*) *Im gemischten Chor in der Reihenfolge Sopran - Alt - Bariton zu singen.*
Eigentum des Möseler Verlages, Wolfenbüttel

Ihr kriegt mich nicht nieder

Zu 4 Stimmen*)   ⟨Nikolaus Lenau⟩

Spitta

Ihr kriegt mich nicht nie - der, ohn - - mäch-ti-ge

Tröp - fe, ohn - mäch - ti - ge Tröp - - fe!

Ich kom-me wie - der und wie - der, und mei-ne stei - -

- gen-den Lie - - der wach-sen be - gra-bend euch

ü - ber die Köp-fe! Ihr kriegt mich nicht nie - der!

Ich kom-me wie - der und wie - der, und mei-ne

stei - gen-den Lie - der wach-sen euch ü - ber die Köp-fe!

*) *Am besten in der Folge Sopran, Tenor, Alt, Baß.*
Eigentum des Möseler Verlages, Wolfenbüttel

Die Mutter

⟨Anette von Droste-Hülshoff⟩

Im Doppelkanon zu 2 Stimmgruppen

Fritz Büchtger ⟨geb.1903⟩

1.⟨Männer⟩ Denk an das Aug, das, ü-ber-wacht, noch ei - ne Freu - de dir be - rei - tet,

2.⟨Frauen⟩ denk an die Hand, die manche Nacht dein Hand, die man - che Nacht dein Schmerzens - la - ger dir be - rei - tet, des Her - zens denk, das ein-zig wund dei - net - we - gen, und ein-zig se - lig dei-net-we - gen, und dann knie nie - der auf den Grund, und dann knie nie - der auf den Grund und fleh um dei - ner Mut - ter Se - gen, um dei - ner Mut - ter Se - gen.

Aus Jöde „Das Mutterlied", Ludwig Voggenreiter Verlag, Potsdam

Eigentum des Voggenreiter Verlages, Bad Godesberg

Die Liebe
⟨Matthias Claudius⟩

Zu 3 Stimmen

Paul Hermann
⟨geb 1904⟩

1. Die Lie-be hem-met nichts, sie kennt nicht Tür noch Rie-gel und dringt durch al - les sich, sie dringt durch al - les sich,

2. die Lie-be hem-met nichts, sie kennt nicht Tür noch Rie - gel und dringt durch al - les sich, sie dringt durch al - les, al - les sich.

3. Sie ist ohn An - be - ginn, ohn An - be - ginn, schlug e-wig ih-re Flü - gel und schlägt sie— e - wig - lich.

Eigentum des Möseler Verlages, Wolfenbüttel

Wacht auf!

Zu 3 Stimmen

Reinhold Heyden
⟨1904-1946⟩

1. 2. 3. Wacht auf, wacht auf, der Tag— bricht an, die Son-ne will uns

Schluß 1 schei - nen! Schluß 2 schei - nen! Schluß 3 schei - nen!

*) Jede Stimme springt hier in ihren eigenen Schluß, so daß alle drei gleichzeitig schließen.
Der Ruf wird dreimal hintereinander angestimmt, wobei jeweils eine andere Stimme als erste beginnt.
Aus Heyden „Kein schöner Land", Möseler Verlag, Wolfenbüttel

Aus: Reinhold Heyden "Die beste Zeit", Möseler Verlag, Wolfenbüttel

Die Sonne scheint schon hell und klar

Zu 4 Stimmen Heyden

Die Son - ne scheint schon hell und klar, die

Vö - gel wek-ken und ru - fen.

Die erste Stimme singt 2mal bis zum Ende, die anderen Stimmen brechen mit ihr gemein-sam an den entsprechenden Stellen (⌢) ab. Unmittelbar anschließend singen alle:

Die Son - ne scheint schon hell und klar!

Aus: Reinhold Heyden "Die beste Zeit", Möseler Verlag, Wolfenbüttel

Grüß Gott, du schöner Maie

Zu 3 Stimmen Heyden

Grüß Gott, du schö - ner Mai - e, da du bist

wie - drum hier, tust Jung und Alt er - freu -

- - en mit dei - ner Blu - men Zier.

Grüß Gott, du schö - ner Mai - e!

Aus: Reinhold Heyden "Die beste Zeit", Möseler Verlag, Wolfenbüttel

Gloria

Zu 3 Stimmen

Walter Kraft
⟨geb. 1905⟩

Glo - - ri - a in ex - cel - sis De - -
(De -

o et in ter - ra, et in ter - ra pax__ ho - mi - ni -
- o)

bus__ bo - - næ vo - lun - ta - - tis.

Eigentum des Möseler Verlages, Wolfenbüttel

Schläft ein Lied

Zu 4 Stimmen

⟨Eichendorff⟩

Walter Kraft

Ruhig

Schläft__ ein Lied in al - len Din - gen, die da träu -

- men fort__ und fort, und die Welt hebt an zu sin -

- gen, triffst__ du nur das Zau - - ber - wort!

Eigentum des Möseler Verlages, Wolfenbüttel

Ist Liebe schwer?

Zu 2 Stimmen

⟨aus dem Simplicissimus⟩

Walter Kraft

Es kam des Wegs da - her ein klei - ner

Ab - wasch - bär, er frug: „Ist Lie - be schwer?" Ich sag - te:

„Sehr". Da fragt er: „Muß das sein?" Ich sag - te: „Nein"

Eigentum des Möseler Verlages, Wolfenbüttel

Das Zauberwort
〈Joseph von Eichendorff〉

Zu 4 Stimmen in der Unterquint,
Unteroktav und Unterduodezime

Engelhard Barthe
〈geb. 1906〉

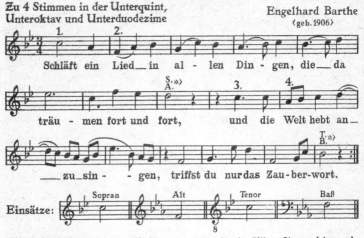

Schläft ein Lied in al - len Din - gen, die da
träu - men fort und fort, und die Welt hebt an
zu sin - gen, triffst du nur das Zau - ber - wort.

Einsätze: Sopran — Alt — Tenor — Baß

Nach der Wiederholung springen die Stimmen von dem für sie gültigen Stern auf den nachfolgenden Schluß.

*) Sopran — fort, fort und fort.

*) Alt — fort, fort und fort.

*) Tenor — wort.

*) Baß — wort.

Beherzigung
〈Goethe〉

Zu 3 Stimmen

Barthe

Rasch

Ach, was soll der Mensch ver - lan - gen? Ist es bes - ser

ru - hig blei - ben? Klam-mernd fest sich an - zu -

han-gen? Ist es bes-ser sich zu trei-ben, sich zu trei-ben?

1. 2. 3.
Soll er sich ein Häus-chen bau- en? Soll er un - ter

Zel - ten le - ben? Soll er auf die Fel - sen

trau - en? Selbst die fe - sten Fel - sen be - ben, selbst die

fe - sten Fel - sen be - ben.

1. 2. 3.
Ei-nes schickt sich nicht für

al - le; se - he Je-der, wie ers trei - be, se - he

Je - der, wo er blei-be, und wer steht, — und wer steht, daß

er nicht fal - le, und wer steht, daß er nicht fal - le,

und wer steht, und wer steht, daß er nicht fal -

'e, daß er nicht fal - le, daß er nicht fal - le!

Eigentum des Möseler Verlages, Wolfenbüttel

Gottes ist der Orient
⟨Goethe⟩

Zu 5 Stimmen Barthe

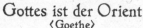

Got - tes ist der O - ri - ent! Got - tes
ist der Ok - zi - dent! Nord und süd - li - ches Ge -
län - de ruht im Frie - den sei - ner Hän - de.

Dazu Instrumente ad libitum in beliebiger Oktavverdoppelung.

Wozu such ich den Weg
⟨Goethe⟩

Zu 3 Stimmen Barthe

Wo - zu such ich den Weg so sehn - suchts - voll, wenn
soll?)
ich ihn nicht den Brü - dern zei - - - gen soll?
(3: zei - - - gen)

Seid fröhlich alle Zeit

Zu 3 Stimmen Kurt Müller
⟨geb. 1906⟩

Seid fröh - lich al - le Zeit, trinkt und eßt,
trinkt und eßt und eu - res Got - - tes nicht ver - geßt.

Singet, denn er ist da!

Zu 4 Stimmen   Müller

Sin-get! Sin-get! Sin - - - - - get,
(Singt)

denn er _____ ist da. Stimmt an mit Freu-den-schall, daß

alls ___ er-klin-get und grüßt ___ ihn mit der ed -

- len Mu-si-ka. Kommt all her-bei und

Eigentum des Möseler Verlages, Wolfenbüttel

Vernehmet die Kunde

Zu 4 Stimmen   Müller

Ver-neh-met die Kun-de, ihr Men-schen all, be -
(2. und
(3. und

rei - - - - tet die Her-zen und singt all-zu-mal, er-
singt _____ all-zu-mal!) -
singt all-zu-mal!)

he - bet die Stim-men und prei-set Gott: ein Kind will uns

füh-ren aus al - ler Not, ___ aus ___ al - - ler Not.
(2. aus ___ al - ler Not.)
(3. al-ler Not.)

*) Nach diesem Halbschluß beginnt der Kanon von vorn und endet bei den oberen Fermaten.
Eigentum des Möseler Verlages, Wolfenbüttel

Jetzt soll sie (er) leben

Zu 3 Stimmen

Müller

Nun stim-met an: jetzt soll sie (er) le - ben, fa la la la la, fa la

la, die Mu-si - ka hilft auch da - ne - ben, fa la la la la, fa la

la, fa la la, sie zu prei-sen mit neu - en Wei-sen an

die - - - sem Tag! die - sem Tag!
(die - - - se n Tag!)

Eigentum des Möseler Verlages, Wolfenbüttel

Komm, Trost der Nacht
(Wunderhorn)

Zu 3 Stimmen

Hans Teuscher
(geb. 1907)

1. Komm, Trost der Nacht, o Nach-ti - gall, __ laß dei-ne Stimm __
2. Ob - schon ist hin der Son - nenschein und wir im Fin - -

__ aufs lieb-lich-ste er - schal - len. Komm, komm und lob __
- stern müs-sen sein, so kön - nen wir doch __ sin - -

__ den Schöp-fer dein, weil an-dre Vö - gel
gen von Got-tes Güt und sei - ner Macht, weil uns kann hin-dern

schla - fen ein und nicht mehr mö - gen sin - -
kei - ne Macht, sein Lo - ben zu ver-brin - -

gen.
gen.

1. u. 2. Laß dein Stimm-lein laut er-schal-len, denn vor

Frisch ans Werk
⟨Teuscher⟩

Doppelkrebskanon zu 2 Doppelstimmen

Teuscher

KANON I

KANON II

Nach jeder Zeile setzt eine neue Stimme ein. Jede Stimme muß doppelt besetzt sein wegen der Teilung im Kanon II.

Kanon I ist allein auch als 4stimmiger Kanon zu singen, wobei der 2. Chor auf Takt 3 einsetzt.

Meine Stimme klinge
<Walter Pudelko
aus dem „Augsburger Tafelkonfekt"〉

Hugo Distler
(1908-1942)

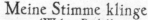

Zu 4 Stimmen

Mei-ne Stim-me klin-ge, mei-ne Zun-ge sin-ge,

sin-ge Fröh-lich-keit und Scherz, al - les, was ein Herz

er-freu - en kann. Las-set die Sor-gen sein, stimmt mit in den Ju -

- bel ein, mit in den Ju - bel ein, eh der Tag ver -

rinnt und in Nacht ver-sinkt, was froh be - gann. Ein

Narr, der sich ver-schließt, den je - de Lust ver-drießt! Kom-met

all her-bei, was auch im-mer sei: Noch sind wir—jung.

Aus Hugo Distler „Kleine Sommerkantate", Bärenreiter-Verlag, Kassel

Auf dem Spaziergang
<Eduard Mörike〉

Distler

Zu 2 Stimmen

Sie: Vier - fach Klee-blatt, selt - ner Fund! Glücks-pfand!
Er: Von dem Fel - de aus dem Klee will ich

Hol - de Fee - en - ga - be! Viel - ge - seg - net
mir kein Pfand er - war - ten, gibst du mir, du

sei der Grund, wo ich dich ge-pflük-ket___ ha - be!
sü-ße Fee, eins aus dei-nem Ro - sen - gar-ten.

Fund!_____ ten._____

Aus Distler „Mörike-Chorliederbuch", Bärenreiter-Verlag, Kassel

Der Gärtner
⟨Mörike⟩

Zu 4 Stimmen

Distler

1. Auf ih - rem Leib - röß - lein, so weiß wie der

Schnee, die schön - ste Prin-zes - sin reit't durch die Al - lee.

2. Der Weg, den das Rößlein hintanzet so hold, der Sand, den ich streute, er blinket wie Gold.

3. Du rosenfarbs Hütlein, wohlauf und wohlab, o wirf eine Feder verstohlen herab!

4. Und willst du dagegen eine Blüte von mir, nimm tausend für eine, nimm alle dafür!

Jede Stimme singt einmal alle Strophen durch

Aus Distler „Mörike-Chorliederbuch", Bärenreiter-Verlag, Kassel

För gode Frünn
⟨Deckeninschrift Forsthaus Heiligenberg⟩

Zu 3 Stimmen

Gustav Schlüter
⟨1909 - 1945⟩

För go - de Frünn un go - de Tid sünd al - le Dag de

Dö - ren wid. För go - de Frünn un go - - de

Tid sünd al-le Dag_____ de Dö - ren wid._____

Eigentum des Möseler Verlages, Wolfenbüttel

Was wir bauen, ist von Erde

Zu 4 Stimmen

Schlüter

Was wir bau-en, ist von Er — — de, wird zur Er — de wie-der wer-den, wie der Leib, der bald ver-ge — — — het, wird auch die-ses Haus ver-ge — hen. Drum spre-chen wir ver-geb-lich aus, daß wir ein Haus be-sit-zen, der Wäch-ter wacht um-sonst, wo nicht der Herr das Haus wird schüt — zen.

Eigentum des Möseler Verlages, Wolfenbüttel

Ich läute zu Freuden

⟨Spruch der Glocke zu Immelborn in Sachsen-Meiningen⟩

Zu 3 Stimmen

Schlüter

Ich läu-te zu Freu-den, ich läu-te zu Lei-den, ich läu-te bei Ta-ge, ich läu-te bei Nacht. Das mensch-li-che Le-ben, das mensch-li-che Le-ben ist Fin-den und

Schei - den. Lob sei dem Her - ren, Lob sei dem
Her - ren, Lob sei dem Her - ren, der al - les ge - macht.

O Musika!

Gottfried Wolters
⟨geb. 1910⟩

Zu 3 Stimmen

O Mu - si - ka, o Mu - si - ka, o Mu - - si -
ka! Dir wird groß Lob, groß — Lob, groß Lob, groß Lob — ge -
ge - ben. Drum sin - gen wir: O — Mu - si - ka, — o Mu - si -
ka, o Mu - - si - ka!

Unter Benutzung eines Motivs von Paul Peuerl

Licht muß wieder werden
⟨Hermann Claudius⟩

Wolters

Zu 3 Stimmen

Licht muß wie - der wer - den nach die - sen dunk - len —
Ta - gen. Laßt — uns nicht fra - gen, — ob wir es
(Tagen.)   Stimmteilung nur am Schluß
se - hen: Auf - er - stehn wird ein neu - es Licht.
(sehn.)

Du bist min
(Unbekannter Dichter)

Zu 2 Stimmen

Wolters

Du bist min, ich bin din: des solt du ge - wiß

sin, ja, des solt du ge - wiß sin. Du bist be -

sloz - zen in mi - nem her - zen, ver - lo - ren ist das

slüz - ze - lin: du muost im - mer drin - ne sin, ja

du muost im - mer drin - ne sin, ja drin - ne sin.
(sin.)

Hierzu nach Belieben eine Dudelsackquinte:

Eigentum des Möseler Verlages, Wolfenbüttel

Eia

Zu 3 Stimmen

Walter Kolneder
⟨geb. 1910⟩

Ei - a, ei - a, von gu - ter Art ein Kin - de - lein

ist nun ge - bo - ren wor - den. Freu - et euch! Freu - et euch!

Freu-et euch! Freu-et euch! Freu-et euch des Kin - de - leins.

Kanon wird zweimal durchgesungen (Pause!) dann Schluß.

* 3. Stimme schließt:

Kin - de - leins, ei - a.

Eigentum des Voggenreiter Verlages, Bad Godesberg

Kleine Neujahrskantate
〈Cesar Bresgen〉

Cesar Bresgen
〈geb. 1913〉

Zu 3 Stimmen

I. Kanon

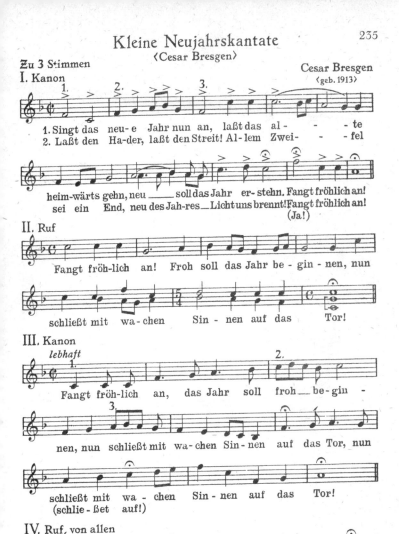

1. Singt das neu-e Jahr nun an, laßt das al - - te
2. Laßt den Ha-der, laßt den Streit! Al-lem Zwei- - - fel

heim-wärts gehn, neu _____ soll das Jahr er-stehn. Fangt fröhlich an!
sei ein End, neu des Jah-res _ Licht uns brennt! Fangt fröhlich an!
(Ja!)

II. Ruf

Fangt fröh-lich an! Froh soll das Jahr be - gin - nen, nun

schließt mit wa-chen Sin - nen auf das Tor!

III. Kanon

lebhaft

Fangt fröh-lich an, das Jahr soll froh _ be-gin -

nen, nun schließt mit wa-chen Sin-nen auf das Tor, nun

schließt mit wa - chen Sin - nen auf das Tor!
(schlie - ßet auf!)

IV. Ruf, von allen

Singt das neu-e Jahr nun an, laßt das al-te heimwärts gehn!

V. Der I. Kanon wird jetzt nochmals als Abschluß gesungen.

Aus Bresgen „Wetterfest", Eigentum des Voggenreiter Verlages, Bad Godesberg

Trara
⟨Bresgen⟩

Zu 3 Stimmen Bresgen

Tra - ra, nun fängt das fröh-li - che Ja - gen an,____

wer was er - rei-chen will, fang zei - tig an!____

Tra - ra!____ Tra - ra!____ Tra - ra, tra-ra, tra-ra, tra -

ra,tra-ra,tra-ra,tra - ra!____ Tra - ra,nun fängt das fröh-li - che

Ja - gen an,____ wer was er - rei - chen will, fang

zei - tig an!____ Tra - ra!

Aus: Cesar Bresgen "Das Jahresrad", Voggenreiter Verlag, Bad Godesberg

Lobet den Sommer
⟨Bresgen⟩

Zu 3 Stimmen Bresgen

Lo - bet den Som-mer, der nun kommt,____ er

kommt_mit vie - len Freu - den, nun _ laßt ihn
(her - ein.)

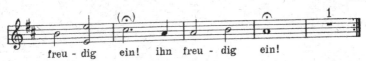

freu - dig ein! ihn freu - dig ein!

Aus: Cesar Bresgen "Das Jahresrad", Voggenreiter Verlag, Bad Godesberg

Zum neuen Jahr

Helmut Bräutigam
(1914-1942)

Zu 3 Stimmen

Wir brin - gen un - se - re Wün - sche heut dar: Viel Glück und Freu - de zum neu - en Jahr, — zum neu - en Jahr!
(2. - - en Jahr!)
(3. neu - en Jahr!)

Aus: Helmut Bräutigam "12 Kanons", Werk 41, Verlag Breitkopf & Härtel, Wiesbaden

Komm, Abend, komm!

Bräutigam

Zu 3 Stimmen

Komm, A - bend, komm! Mach uns - re See - len fromm! Komm, A - bend, komm, komm, ach komm, mach uns - re See -
(ach komm!)
- len fromm! A - bend komm!

Aus: Helmut Bräutigam "12 Kanons", Werk 41, Verlag Breitkopf & Härtel, Wiesbaden

Am Morgen

Zu 5 Stimmen

Bräutigam

Der Mor-gen ruft die Vö - gel wach: Schö-nen gu-ten Tag,

schö-nen gu-ten Tag! Da weckt auch schon der Hahn das bun-te

Fe - der-vieh: Es ist nicht mehr früh, es ist nicht mehr

früh! Und der Fuhr-mann knallt wie noch nie: Hot - te-hüh,

hot - te-hüh! Dann kommt der Schmied mit sei-nem schwe-ren Schlag:

Schlaf, wer mag, schlaf, wer mag! Schlaf, wer will,

schlaf, wer kann, fangt die Ar-beit an, fangt die Ar-beit an!

Aus: Helmut Bräutigam „12 Kanons", Werk 41, Verlag Breitkopf & Härtel, Wiesbaden

Das Leben

Friedrich Zipp
(geb. 1914)

Zu 4 Stimmen

(8)

Das Le - ben ist ein Feu - - -
(wird es er - stik - ken.) (Feu - er, ein

(8) er, die Luft muß es er-quik-ken;___ so-bald die Luft___
Feu - er.) (muß es er·quik-ken.)

(8) ___ ihm fehlt,_____ wird es er-stik-ken.
(fehlt. _____)

Eigentum des Möseler Verlages, Wolfenbüttel

Werft euer Herz

Zu 4 Stimmen   Jens Rohwer
⟨geb. 1914⟩

Werft eu-er Herz in die Flam - - men! Aus der

A - sche strahlt___ das lau-te-re Gold.___

Aus Jens Rohwer „Kanons", Möseler Verlag, Wolfenbüttel

Komm nun, weihnachtlicher Geist

⟨Rohwer⟩

Zu 2 Stimmen mit Ostinato   Rohwer

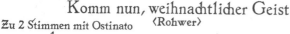

Komm nun, weih-nacht-li-cher Geist, in un-ser Haus!___

Komm _____ nun,

weih-nacht - li - cher Geist, in un-ser Haus!___

Ausführung: Eine Stimme singt die Weise einmal durch. Im Schlußton beginnt dann der Osti-nato (am besten von Männerstimmen gesungen):

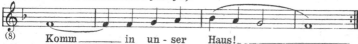

(8) Komm___ in un-ser Haus!___

In seinem Schlußton setzt die chorische Wiedergabe des zweistimmigen Kanons ein, den er dann bis zu seinem Ende begleitet.

Aus Jens Rohwer „Kanons", Möseler Verlag, Wolfenbüttel

Wie je die Sonne den Tag
⟨Kleine Kanon-Motette⟩

Zu 2 Stimmen

A

Rohwer

Wie je____ die Son - ne den Tag er - kiest, wie sie ihn

weckt, ihn schafft, al - so die Lie - be mich, so____

____ die Lie - be mich. Oh - ne sie ver - blieb stumm ich im

To - de, un - ge - bo - ren, wie je!____

Dazu ad lib. A¹

Wie das Son - nen-licht ü - ber die
Ihr ge - lei - tet mich ü - ber den
Eu - er Wi - der-schein trö - stet die

Welt: ist die Lie - be nicht ü - ber al - les Sin - nen
Steg, euch ver - trau - e ich, wenn__ in Nacht und Dun - kel
Welt, wenn in To - des-pein al - ler Men-schen Sin - nen

und Be - gin - nen ge - stellt?
mich be - küm - mert mein Weg.
und Be - gin - nen zer - schellt.

(Wiederholung, bzw.unmittelbarer Anschluß der 2.Strophe ad lib.)

B 2stimmiger Kanon in der Unterquint ⟨wörtliche Beantwortung: ♮⟩

Son - ne, die da glü - het, Lie - be, die da blü - het,

Himm - li - sche ihr! Wie die Sonn' den Tag,

brin - get mich die Lie - be her - für.

Dazu ad lib. **B¹**

⟨evtl. Solosopran Oktave höher⟩

Wie je der Son-ne Schein, wie je der Son-ne Schein,

— wie je — die lich - te Kraft den Tag er-schafft, so

schafft die Lieb, schafft die Lieb al - lein mein Sein.

NB. Die Kanons A und B können auch unabhängig vom Ganzen für sich musiziert werden.
A eignet sich am besten für Frauenstimmen, kann aber auch, wie B vorzugsweise, gemischtstim-
mig musiziert werden. Bei motettischem Singen wird nachstenende Gliederung empfohlen:

1) *A einstimmig von allen (oder nur den Frauenstimmen oder 1 Solostimme)*
2) *A im Kanon (evtl. im unmittelbaren Anschluß an 1), dazu A¹ 1. Strophe (am besten gemischte Stimmen)*
3) *B im Kanon*
4) *wie 2, nur 2. Strophe statt 1.*
5) *B im Kanon, dazu B¹ (entweder chorische Altstimme oder Sopran-Solo oder beides)*
6) *wie 2, nur 3. Strophe statt 1.*
7) *wie 5 (oder mit anderer B¹-Einteilung)*
8) *ad lib.: wie 1.*

Aus Jens Rohwer „Kanons", Möseler Verlag, Wolfenbüttel

242

Musikantenkanon
⟨Rohwer⟩

Zu 3 Stimmen   Rohwer

Fa la la la la la la la la la, mu - si - ca,

mu - si - ca, mu - si - ca, fa la la la la la la la la

la la, ar - ti - um su - pre - ma est!*) Hun-dert-fach ge -

schwun-gen, ge-hupft wie ge-sprun-gen, je - der Ton

ein Fest! Fa la la la la la la la la

la la, mu - si - ca, mu - si - ca, mu - si - ca, fa la la la la

la la la la la la, ar - ti - um su - pre - ma est!

Mun - ter, mun - ter! Kun-ter-bun-ter Kon-tra-punkt, doch

ah! die Ei - nig-keit ist doch da, die har-mo - ni -

a, die har-mo - ni - a, die Har-mo - nie — ja!

*) Musik ist die höchste der Künste.

Aus Jens Rohwer „Kanons", Möseler Verlag, Wolfenbüttel

Anweisung

über die Ausführung der Kanons dieser Sammlung auf Grund
der hier durchgeführten Notation.

1. Alle Kanons sind nur in einer Stimme gedruckt, auch diejenigen,
die nicht im Einklang oder in der Oktave ablaufen.

2. Die Einsatzstellen aller Stimmen sind durch Zahlen über dem
Notensystem angegeben. Ist bei diesen Zahlen nichts weiter vermerkt,
so können die betreffenden Kanons im Einklang, d. h. von gleichen
Stimmen, oder in der Oktave, d. h. von Männer- und Frauenstimmen,
gesungen werden.

3. Handelt es sich um Kanons in anderen Intervallen als im Einklang und in der Oktave, so ist das einmal links oben bei der An-
gabe der Stimmen vermerkt; außerdem sind dann hinter den Zahlen,
welche die Einsatzstellen angeben, in Klammern diejenigen Stimm-
lagen in ihren Anfangsbuchstaben (S = Sopran, A = Alt, T = Tenor,
B = Baß) notiert, von denen die betreffende Stimme gesungen werden
soll. Der Anfangston der einzelnen Stimmen ist bei einem solchen
Kanon stets am Schluß besonders angegeben.

4. Da in einem solchen Kanon einzelne Stimmen in einer anderen
Stufe der zugrundeliegenden Tonart ansetzen, und also unter Umständen die Verteilung der Halbton- und Ganztonschritte eine andere ist, so steht, wo es erforderlich war, am Anfang in einer
Klammer, über der die betreffende Stimmlage notiert wurde, angegeben, nach welchen Vorzeichen die einzelnen Stimmen den Kanon
zu singen haben. So singt z. B. im „Pleni sunt coeli" von Bach
auf S. 76 der Baß als erste Stimme den Kanon von C aus ohne
Vorzeichen, der Tenor, die 2. Stimme, dasselbe von g aus mit einem
♭ , der Alt dasselbe von d aus mit 2 ♭ , der Sopran von a aus mit
3 ♭ . Wer das einmal durchgeübt hat, weiß, daß schon fast ohne
diese Hilfsmittel der Notation der Sänger aus dem Raumempfinden
der betreffenden Tonart heraus das Richtige trifft.

Erfolgt der Einsatz einer weiteren Stimme nicht gleichzeitig mit einem neuansetzenden Ton der voraufgehenden Stimme, so ist das durch einen Pfeil (s. etwa S. 30 oben!) angedeutet. Wo das nicht genügt, geben in Klammern gesetzte Pausen vor der Einsatzzahl (s. etwa S. 14, untere Hälfte!) an, wann die neue Stimme zu beginnen hat.

6. Bei Kanons, wo alle Stimmen gleichzeitig, aber in verschiedenem Tempo ablaufen (s. etwa S. 20 unten!), ist das durch zwei übereinandergestellte Taktzeichen zu erkennen gegeben worden.

7. **Die Schlüsse sind in einer großen Zahl von Fällen auf Grund der Angaben der Komponisten durch Fermaten sichtbar gemacht. Handelt es sich um Kanons, die mehrfach wiederholt werden sollen, so ist bei gemischten Stimmen darauf zu achten, daß der Schluß an einer Stelle herbeigeführt wird, in der z. B. der Baß der ganzen Lage seines Schlußteiles nach wirklich das Fundament inne hat.**

8. Schließen in einem Kanon die einzelnen Stimmen auf verschiedene (freie) Weise (s. etwa S. 18 unten!), so ist die erste Stimme ohne Unterbrechung zu Ende geführt und also auch so zu singen; bei den nächsten aber wurde durch einen Doppelstrich die Stelle angegeben, von der aus in den besonderen Schluß dieser Stimme hineingesprungen werden soll. Zum leichteren Auffinden ist an dieser Stelle in Klammern gesagt, um den Schluß welcher Stimme es sich handelt. Dieselbe Notiz steht dann noch einmal ohne Klammern an der Stelle, wo der Schluß selbst beginnt.

9. Das Vorzeichen in Klammern (s. etwa S. 21 unten!) gilt stets nur in Schlußbildungen für die letzte Stimme, die es berührt. Im übrigen gilt jedes Vorzeichen vor einer Note immer nur dieser allein, es sei denn, daß mehrere gleiche Noten unmittelbar aufeinander folgen.

10. Alle Kanons können von Instrumenten begleitet, wie auch bei allen möglichen Gelegenheiten von Instrumenten in gleicher oder gemischter Zusammensetzung allein ausgeführt werden.

NACHWORT

Wenn ein Werk wie diese Kanonsammlung, das gleichermaßen der Musikerziehung und der Musikwissenschaft dienen möchte, in unserer alle übernommenen Werte in Frage stellenden Zeit abermals neu herauskommen kann, ja, auf fortgesetztes Drängen neu herauskommen muß, so darf das gewiß als ein Zeichen dafür angesehen werden, daß es sich bei dem Inhalt um Werte handelt, die sie nicht verlieren möchte.

Als ich die Sammlung 1926 zum ersten Male herausbrachte, geschah es in einer Zeit, in der das Kanonsingen fast ganz ausgestorben war. Und sie durfte zu ihrem Teile mithelfen, bei dem Verlangen nach einer neuen Polyphonie in der Musik einem neuen Kanonsingen den Weg zu bereiten, ja, sie durfte in vielen den Sinn für die polyphone Mehrstimmigkeit überhaupt erst wecken. Es ist ihr vergönnt gewesen, zu ihrem Teile mit beizutragen am Wandel unserer Musikpflege in den letzten dreißig Jahren.

Von alledem kann heute nicht mehr die Rede sein. Die Kunst des Kanons hat fast auf allen Gebieten unserer Musikpflege von der Schule über das Haus bis in die Kirche hinein Eingang gefunden und ist dort im Vokalen wie im Instrumentalen zu Hause. So hat diese Kanonsammlung nun nicht mehr die Aufgabe, zu einem Neuen anzuregen, sondern einem Gegebenen und in immer weiterer Ausgestaltung Befindlichen zu dienen. Um aber dem Bestehenden recht zu dienen, wird es angebracht sein, einen Blick in die Vergangenheit zu werfen und nicht zu vergessen, wie dieses Bestehende geworden ist. Ich wende mich darum hiermit noch einmal zum ersten Erscheinen dieses Werkes zurück und zitiere aus dem Nachwort der ersten Auflage:

»Meine erste Kanonsammlung lag im Sommer 1913 druckfertig vor; aber ein gütiges Geschick hat mich davor bewahrt, sie herausbringen zu können. So hat sie denn die ganzen Jahre des ersten Weltkrieges hindurch in meinem Schreibtisch gelegen und ist erst wieder hervorgeholt worden, als ich 1921 mit der Arbeit an meinem »Musikanten« begann. Während der Durchführung dieser Arbeit ist dann im engsten Zusammenhang mit allen den Plänen, Hoffnungen und Wünschen, die sie aufkeimen ließ, auch der Wunsch wieder rege geworden, der Jugend und unserm Volk, ausgehend von der eigenen Lust am Kanonsingen, eine große Kanonsammlung zu bauen. Dazu konnte meine erste Sammlung »für Schule und Haus« nur den Grundstock abgeben,

und es bedurfte jahrelanger, oft mühevoller, aber vom Glück be=
günstigter Sammelarbeit, bis schließlich das vorliegende Werk daraus
wurde, das mir fast, betrachte ich es jetzt an dem Wege, den es im
Innern einschlägt, wie eine kleine Musikgeschichte unseres Volkes,
dargestellt an seinen Kanons, vorkommt, und von dem ich eben nichts
sehnlicher wünsche, als daß es überall zum gemeinsamen Singen führe,
im Hause, in Freundeskreisen, in der Schule oder überhaupt im Rahmen
der Musikerziehung, und zwar der Schulmusikerziehung im allge=
meinen, wie des Vokal= und Instrumentalunterrichts im besonderen,
in Bünden, Kulturorganisationen und Arbeitsgemeinschaften jeglicher
Gestalt und Richtung, bei allen Festen des Jahres und zu jeder nur
möglichen Lebensfeier und schließlich und nicht zuletzt in der Kirche:
überall möchte diese Sammlung helfen, zum Singen zu lösen und die
Singenden sich in ihrem Tun so eindringlich als möglich der
Gemeinschaft aller Stimmen bewußt werden zu lassen.«

Ich wiederhole auch, was ich da über die drei Teile der Sammlung
gesagt habe, weil es heute noch gilt und neuen Benutzern zur Klärung
dienlich ist: »Der erste Teil bringt vor allem eine große Zahl geistlicher
Kanons älterer Meister aus größeren Chorwerken oder aus theoretischen
Büchern des 16. und 17. Jahrhunderts. Ausgehend vom Gregorianischen
Choral, führt er wiederum in den Gottesdienst zurück und findet da
seinen Platz. Und selbst die kleinen, aus Schulwerken dieser Zeit
entnommenen Kanons, wie sie in sehr großer Zahl von einem der
größten Meister der Kanonkunst, Adam Gumpelzhaimer, vorliegen,
sind derartige Kunstwerke, daß auch sie sich sehr oft zwanglos jenen
anschließen können und keineswegs die Umgebung gottesdienstlicher
Handlung zu scheuen brauchen. Ein großer Sprung führt dann zu den
Kanons des zweiten großen Kanonmeisters, zu Antonio Caldara. In
ihnen kündet sich allmählich eine neue Zeit an, die in der Kanon=
kunst andere Wege anderen Zielen zu einschlägt. Mit dem Wunder
der kanonischen Messe Palestrinas schließt dieser Teil.

Der zweite Teil führt in eine Zeit, die sich in dem, was die Öffentlich=
keit der Musikpflege anlangt, von dem Geist, der den Kanon schuf,
abgewandt hat. Er gibt aber ein Bild der Kehrseite, wo der Musiker
nicht mit einer Öffentlichkeit rechnete, sondern sich ganz im vertrauten
Kreis seiner Freunde fühlte. An der Stelle pflegten Haydn, Mozart
und Beethoven immer wieder den Kanon, und es ist bekannt, wie sehr
sie selbst ihre Freude daran hatten. Wer sich aber an dem Gedanken
stößt, daß diese Kanons vielfach gar keine Kanons im Sinne der alten
Meister mehr sind, der schlage das »Scherzo« von Salieri auf und ver=

suche, es mit Freunden zu singen. Er wird dann am besten spüren, ob dieser Teil ihm etwas sagen kann, d. h. ob er in ihm die gleiche Stelle trifft, die bei den Baumeistern dieser Kanons getroffen war. Natürlich ist der Kanon=Brief Mozarts »Lieber Freistädtler« kein Kanon wie das Ave Maria von Gumpelzhaimer, aber er ist doch ein solcher Mozart, daß man nicht wieder von ihm loskommt, wenn man ihn einmal gesungen hat. Mit den zehn Geboten der Kunst von Haydn schließt dieser Teil.

Der dritte Teil endlich, der in der ersten Hälfte das Gut einer Zeit bringt, in welcher der Kanon nur noch in kleinstem Format in der Schule gepflegt wurde, wendet sich darum auch zuerst an die Schulen, und zwar da ganz besonders an die Mittel= und Unterstufe, und bringt den Kindern so manche kleine Kanonweise, an der sie sich erfreuen und durch die sie in die Kunst des Kanonsingens hineinwachsen mögen. In seiner zweiten Hälfte aber zeigt er dann, wie die Gegenwart drauf und dran ist, aufs neue Brücken zu schlagen zu der Kanonkunst unserer älteren Meister, und wie sie bereits in ihren weltlichen, vor allem aber in ihren geistlichen Kanons auf dem Wege zum Adel einer melodischen Linie ist, von deren Möglichkeiten die letzt voraufge= gangene Generation sich noch nicht träumen lassen konnte.« Diese Worte wurden 1926 niedergeschrieben. Und wer nun die Ent= wicklung auf diesem Gebiet von damals bis heute verfolgt hat, der weiß, wie sich das Kanonschaffen der Gegenwart in seiner weiteren Entwicklung vertieft und ausgebreitet hat, und wie eine ganze Reihe von namhaften Komponisten aufgestanden ist, die wir als für dieses Schaffen charakteristisch ansehen. Wer die Möglichkeit hat, die Kanon= schaffenden von 1926 und ihre Kanons in der Auswahl der damaligen ersten Auflage des dritten Teiles mit den in der jetzigen Neuauflage vertretenen Komponisten und ihren Kanons darin zu vergleichen, der wird sehr wohl fühlen, daß es sich damals um einzelne bahnbrechende Schaffende mit einzelnen Kanons gehandelt hat, während wir heute über eine solche Fülle von neuen Kanons verfügen und so viel Kanon= schaffende unter unseren zeitgenössischen Komponisten finden, daß ich die erste Auslese bereits aus einer Fülle des Geschaffenen treffen konnte. Einen weiteren Einblick in »Die Kanonkunst der Gegenwart« durch eine Auswahl des Besten und Bewährtesten auch aus der jüngsten Zeit zu geben, das sei einer besonderen Sammlung vorbehalten.

Schließlich sei auch hier wiederholt, was ich bei der ersten Ausgabe dieser Sammlung über ihre Entstehung sagte: »Auf die oft wegen der Fülle des hier Gebotenen an mich gerichtete Frage, wo ich denn alle diese Kanons gefunden hätte, kann ich nur sagen, daß sie eine ganz kleine, allein nach künstlerischen Maßstäben ausgewählte Auslese aus einem großen und weitverzweigten Gebiet innerhalb unserer Musik darstellen. Wer diesem Schaffensgebiet weiter nachgehen will, findet für das Studium des älteren Kanons viele weitere Stücke eimal in der gleichzeitigen Chorliteratur verstreut, dann wie gesagt in den bekannten theoretischen Unterweisungen des 16. und 17. Jahrhunderts, wie sie uns von Glarean, Agricola, Faber, Gesius, Crusius und allen voran in dem seinerzeit weitverbreiteten Compendium musicae von Gumpelzhaimer (Erstausgabe 1591) vorliegen. Von diesem letzten Werk fand ich in der Preußischen Staatsbibliothek ein Exemplar mit einem ausführlichen, nahezu hundert weiterer, meines Wissens sonst nirgends veröffentlichter Kanons enthaltenden handschriftlichen Anhang vor, der allein manches kostbare Stück meiner Sammlung beigesteuert hat. Über diese und andere gedruckte Werke älterer Zeit führte dann der Weg hernach, zunächst besonders bei Caldara und Martini, des öfteren über reich= haltige handschriftliche Sammlungen von unbekannter Hand. Während weiterhin bereits die schier unerschöpfliche Zahl der altenglischen Kanons in vielen gedruckten Sammlungen vorliegt, von denen sich eine größere Auswahl im Besitz der Hamburgischen Staatsbibliothek befindet, und während der Kanon der Klassik und Romantik ebenfalls (im Rahmen der Gesamtausgaben unserer derzeitigen Meister) gedruckt vorliegt, hat bei den volkstümlichen Kanons des 19. Jahrhunderts neben den für diese Zeit in erster Linie als Quellenwerke in Frage kommenden Schulliederbüchern wiederum eine größere Anzahl handschriftlicher Lieder= und Chorbücher so manchen sonst unbekannten schönen Kanon hergegeben. Was diese, zum großen Teil der Preußischen Staats= bibliothek angehörenden Quellen angeht, so habe ich auf das Erscheinen des ersten Teils meiner Sammlung hin die Freude gehabt, daß mir solche Handschriften auch von Freunden der Kanonkunst zugesandt wurden, in deren Familienkreisen heute noch aus Tradition das Kanonsingen gepflegt wird, und es ist mir dabei besonders wichtig gewesen, zu erfahren, daß jedesmal ein deutlicher Einfluß von seiten der eigentlich nie untergegangenen Kanonpflege in England spürbar war.«

Ich möchte nun diese Neuausgabe meiner Kanonsammlung nicht hinausgehen lassen, ohne des Freundes gedacht zu haben, der künst= lerisch und wissenschaftlich am meisten an ihrem Entstehen beteiligt gewesen ist und der die Einleitung dazu schrieb: Professor Dr. Herman Reichenbach. Seinem Andenken habe ich sie darum gewidmet.

Hamburg, im September 1958   Fritz Jöde

256

KOMPONISTENVERZEICHNIS

258

FRITZ JÖDE

Chorbuch alter Meister

1. Teil für gleiche Stimmen
2. und 3. Teil für gemischte Stimmen

Teil 1: 74 drei= und vierstimmige Chöre von Eccard, Friderici, Gastoldi, Gumpelzhaimer, Haßler, Haußmann, Hilton, Isaac, Lasso, Langius, Marenzio, Morley, Palestrina, Regnart, Schaerer, Schein, Staden und anderen. **Teil 2:** 48 Chöre für drei= bis sechs gemischte Stimmen von Meistern des 16., 17. und 18. Jahrhunderts: Eccard, Forster, Gesius, Gumpelzhaimer, Händel, Haßler, Haydn, Lasso, Mozart, Palestrina, Praetorius, Schein, Walther und anderen. **Teil 3:** Das altdeutsche Volkslied in Chorsätzen seiner Zeit. (In Vorbereitung)

Alte Madrigale

und andere A=cappella=Gesänge aus dem 16. und Anfang des 17. Jahrhunderts für gemischten Chor.

Die Sammlung gehört zum täglichen Brot jedes Chores und Singkreises.

(Zeitschrift für Musik)

Die Singstunde

Eine Folge von 36 Liedblättern zu jeweilig bestimmten Themen= kreisen; sowohl in Einzellieferungen als auch im Gesamtband mit ausführlichem Register erhältlich.

Die Liederblätter der »Singstunde« von Fritz Jöde haben schon seit Jahren ihren festen Platz beim Offenen Singen, im Musikunterricht, in der Schule und beim geselligen, häuslichen Musizieren gefunden. Sie sind zu einer Fundgrube für wertvolles altes und vor allem neues Liedgut geworden.

(Junge Musik)

Ringel=Rangel=Rosen

Spiel= und Ansingelieder für Haus, Kindergarten und Schule.

Ein rechter auserlesener Freudenreigen ist es geworden, dieses Büchlein, in dem sich bewährtes, kritisch geläutertes Singegut mit bekannten, guten Namen der heutigen Liedpflege begegnet; zwischen Melodien aus allen deutschen Landschaften erscheinen Jens Rohwer, Wilhelm Bender, Cesar Bresgen, Walther Pudelko und Fritz Jöde selbst. Die Mitwirkung von Blockflöten wird der Ausführung von Fall zu Fall anheimgestellt. Die Verlegenheit in der musikalischen Versorgung der Kleinen ist durch diese sorgfältige Sammlung behoben!

(Der Lehrerrundbrief)

MÖSELER VERLAG WOLFENBÜTTEL

FRITZ JÖDE

DER MUSIKANT Lieder für die Schule

A. *Unterstufe (d. h. für die Unterklassen der Grundschulen):*

  1. Heft: Kinderlieder und -spiele, teilweise mit einem Melodie=
     instrument.
  2. Heft: Bunte Lieder, hin und wieder mit freien 2. Stimmen
     und mit Instrumenten.

B. *Mittelstufe (d. h. für die Oberklassen der Volksschulen und die
    Unterklassen der höheren Schulen):*

  3. Heft: Alte und neue Volkslieder für Einzel-, Wechsel- und
     Chorgesang; einstimmig, zweistimmig und mit Instru·
     menten.
  4. Heft: Volks- und Kunstlieder, meist in polyphonem Satz, mit
     oder ohne Instrumentalbegleitung.

C. *Oberstufe (d. h. für die Oberklassen der höheren Schulen):*

  5. Heft: Chorsätze vom 15. Jahrhundert bis zur Gegenwart, mit
     und ohne Instrumentalbegleitung.
  6. Heft: Ein- und mehrstimmige Gesänge mit und ohne Instru·
     mentalbegleitung von Joh. Sebastian Bach.

Das gesungene Lied ist für die Musikerneuerung der Angelpunkt geblieben, weil die Jugend auf dem Wege über das gemeinschaftliche Lied zu einem neuen Er- lebnis der Musik gekommen ist. Vom Liede aus lassen sich alle Formen des Musizierens leicht erarbeiten. Daher führt der Musikant in organischer Entwick- lung vom einstimmigen Kinderlied über das alte und neue Volkslied bis zu den großen Lied- und Chorsätzen der alten und neuen Meister. Das Gesetz des Liedes d. h. der Melodie, wurde auch im mehrstimmigen Satz wieder entdeckt: jede Mehr- stimmigkeit ist nur dann echt und lebendig, wenn jede Stimme in sich sinnvoll, wenn sie Melodie ist. Das ist der Sinn der Polyphonie. Uns dafür die Ohren und die Herzen geöffnet zu haben, ist das Verdienst Jödes und seines „Musi- kanten" aus dem nun schon seit Jahrzehnten nicht nur Schulen, sondern auch Chöre Singgruppen und Spielkreise singen und musizieren.

MÖSELER VERLAG WOLFENBÜTTEL